# CHINESE MADE EASY FOR KIDS

## 2 Workbook

Traditional Characters Version

## 輕鬆學漢語 少兒版（練習冊）

Yamin Ma

Joint Publishing (H.K.) Co., Ltd.
三聯書店（香港）有限公司

***Chinese Made Easy for Kids*** (*Workbook 2*)
Yamin Ma

| | |
|---|---|
| Editor | Luo Fang |
| Art design | Arthur Y. Wang, Annie Wang, Yamin Ma |
| Cover design | Arthur Y. Wang, Zhong Wenjun |
| Graphic design | Zhong Wenjun |
| Typeset | Lin Minxia |

Published by
JOINT PUBLISHING (H.K.) CO., LTD.
Rm. 1304, 1065 King's Road, Quarry Bay, Hong Kong

Distributed Hong Kong by
SUP PUBLISHING LOGISTICS (HK) LTD.
3/F, 36 Ting Lai Road, Tai Po, N.T., Hong Kong

Distributed in Taiwan by
SINO UNITED PUBLISHING LIMITED
4F., No.542-3, Jhongjheng Rd., Sindian City, Taipei County 231, Taiwan

First published October 2005
Second impression June 2007
Copyright © 2005 Joint Publishing (H.K.) Co., Ltd.

E-mail:publish@jointpublishing.com

***輕鬆學漢語 少兒版*** (*練習冊二*)
編　著　馬亞敏

| | |
|---|---|
| 責任編輯 | 羅　芳 |
| 美術策劃 | 王　宇　王天一　馬亞敏 |
| 封面設計 | 王　宇　鍾文君 |
| 版式設計 | 鍾文君 |
| 排　版 | 林敏霞 |

| | |
|---|---|
| 出　版 | 三聯書店（香港）有限公司 |
| | 香港鰂魚涌英皇道 1065 號 1304 室 |
| 香港發行 | 香港聯合書刊物流有限公司 |
| | 香港新界大埔汀麗路 36 號 3 字樓 |
| 台灣發行 | 聯合出版有限公司 |
| | 台北縣新店市中正路 542-3 號 4 樓 |
| 印　刷 | 深圳市德信美印刷有限公司 |
| | 深圳市福田區八卦三路522棟2樓 |
| 版　次 | 2005年10月香港第一版第一次印刷 |
| | 2007年6月香港第一版第二次印刷 |
| 規　格 | 大16開(210x260mm)144面 |
| 國際書號 | ISBN 978 · 962 · 04 · 2501 · 1 |

© 2005 三聯書店（香港）有限公司

# CONTENTS

dì yī kè
第一課

## 1 Trace the radicals.

| ㅣ ㄇ 口 | | | | | | |
|---|---|---|---|---|---|---|
| enclosure 口 | 口 | 口 | 口 | 口 | | |
| ㇔ ㇇ ㅁ 罒 严 严 足 | | | | | | |
| foot 足 | 足 | 足 | 足 | 足 | | |
| 一 ㄏ 丆 石 石 | | | | | | |
| stone 石 | 石 | 石 | 石 | 石 | | |

## 2 Trace the characters.

| 一 二 千 舌 舌 舌 | | | | | | |
|---|---|---|---|---|---|---|
| shé tongue 舌 | 舌 | 舌 | 舌 | 舌 | | |
| 一 ㄏ 戸 豆 豆 豆 豆 | | | | | | |
| dòu bean 豆 | 豆 | 豆 | 豆 | 豆 | | |

## 3 Read and match.

1) nǐ jiā zhù zài nǎr
你家住在哪兒？

2) nǐ jǐ suì
你幾歲？

3) nǐ jiā de diàn huà hào mǎ
你家的電話號碼
shì duō shao
是多少？

a) qī suì
七歲。

b) hàn gāo lù shí hào
漢高路十號。

c) èr qī liù yāo
二七六一
jiǔ sān líng wǔ
九三〇五。

## 4 Fill in the missing numbers.

|  |  |  |  |  |  | 九 |  |
|---|---|---|---|---|---|---|---|
| 一 |  | 三 |  | 六 | 七 |  |  |
|  |  | 四 |  |  |  |  | 九 |
|  |  | 五 |  | 八 |  |  |  |
|  |  |  |  |  |  |  |  |
|  |  |  |  | 十 |  |  |  |

## 5 Write the Chinese numbers.

①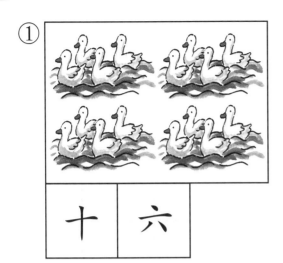

| 十 | 六 |
|---|---|

②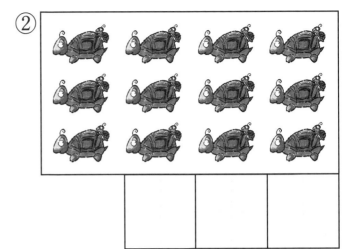

| | | |
|---|---|---|

③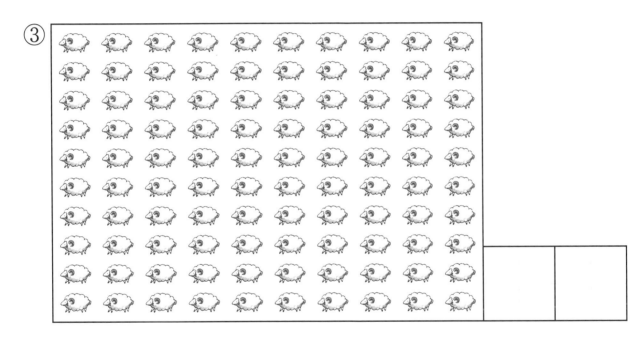

| | |
|---|---|

④

| | |
|---|---|

## 6 Connect the numbers.

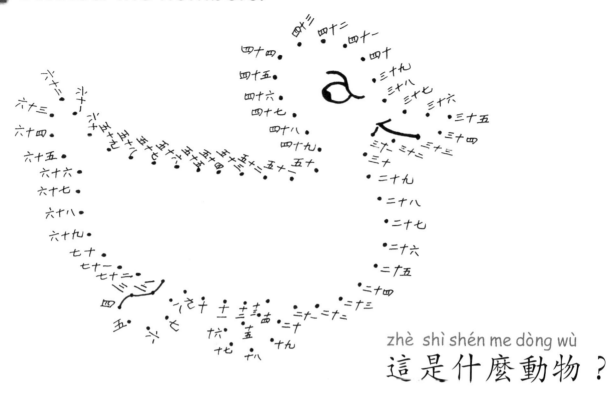

zhè shì shén me dòng wù
這是什麼動物？

## 7 Circle the phrases as required.

| diàn 電 | huà 話 | hào 號 | mǎ 碼 | huā 花 |
|---|---|---|---|---|
| shì 視 | nǎo 腦 | yī 衣 | guì 櫃 | yuán 園 |
| jī 機 | shū 書 | (yǐ 椅 | zi 子) | kè 客 |
| bāo 包 | zhuō 桌 | fáng 房 | jiān 間 | tīng 廳 |

1) chair ✓       8) T.V. set

2) garden        9) computer

3) wardrobe      10) desk

4) study room    11) room

5) school bag

6) sitting room

7) telephone number

**8** **Answer the following questions. You may write pinyin if you cannot write characters.**

nǐ jiā yǒu jǐ kǒu rén
1) 你家有幾口人？

nǐ de fáng jiān li yǒu diàn nǎo ma
2) 你的房間裡有電腦嗎？

_____

nǐ jǐ suì
3) 你幾歲？

nǐ jiā de diàn huà hào mǎ shì duō shao
4) 你家的電話號碼是多少？

_____

**9** **Connect the matching words.**

diàn shì
1) 電視  ●━━━━━●a) 機 jī

wén jù
2) 文具  ●  ●b) 園 yuán

diàn huà
3) 電話  ●  ●c) 汁 zhī

dòng wù
4) 動物  ●  ●d) 盒 hé

píng guǒ
5) 蘋果  ●  ●e) 號碼 hào mǎ

**10** **Write the radicals.**

yuán
1) 園 → 口

huā
2) 花 →

lù
3) 路 →

fáng
4) 房 →

mǎ
5) 碼 →

# 11 Draw your friend's house/apartment and colour the picture.

1) House/Apartment number:

_____

tā tā jiā de diàn huà hào mǎ
2) 他／她家的電話號碼：

_____

# 12 Trace the characters.

| ノ イ イ 仁 仁 住 住 | | | | | |
|---|---|---|---|---|---|
| zhù<br>live 住 | 住 | 住 | 住 | 住 | |

| 一 ナ 才 在 在 在 | | | | | |
|---|---|---|---|---|---|
| zài<br>in; on 在 | 在 | 在 | 在 | 在 | |

| 丶 十 艹 艹 芢 花 花 | | | | | |
|---|---|---|---|---|---|
| huā<br>flower 花 | 花 | 花 | 花 | 花 | |

| | 冂 | 冂 | 冃 | 用 | 用 | 周 | 周 | 周 | 周 | 園 | 園 | 園 |

| yuán<br><br>garden | 園 | 園 | | 園 | 園 | | |

| 丶 | 口 | 口 | 口 | 早 | 早 | 早 | 昆 | 趵 | 跋 | 政 | 路 | 路 | 路 |

| lù<br><br>road | 路 | 路 | 路 | 路 | 路 | | |

| 一 | 一 | 丆 | 万 | 百 | 百 | 百 |

| bǎi<br><br>hundred | 百 | 百 | 百 | 百 | 百 | | |

| 丶 | 口 | 口 | 吕 | 号 | 号 | 号 | 号 | 驴 | 驴 | 號 | 號 | 號 |

| hào<br><br>number | 號 | 號 | 號 | 號 | | |

| 丶 | 二 | 二 | 言 | 言 | 言 | 言 | 言 | 訂 | 許 | 許 | 話 | 話 |

| huà<br><br>talk | 話 | 話 | 話 | 話 | | |

| 一 | 丆 | 丆 | 石 | 石 | 石 | 矿 | 矿 | 矿 | 碑 | 碼 | 碼 | 碼 | 碼 |

| mǎ<br><br>number | 碼 | 碼 | 碼 | 碼 | | |

| 丶 | 口 | 口 | 口 | 叮 | 叮 | 叨 | 呀 | 哪 | 哪 | 哪 |

| nǎ<br><br>which; what | 哪 | 哪 | 哪 | 哪 | 哪 | | |

| ′ | ㄥ | ㄏ | ㄐ | ㄍ | ㄙ | 臼 | 兒 | 兒 | | |
|---|---|---|---|---|---|---|---|---|---|---|
| ér<br>suffix | 兒 | 兒 | 兒 | 兒 | 兒 | | | | | |

| ′ | ㄅ | ㄆ | 多 | 多 | 多 | | | | | |
|---|---|---|---|---|---|---|---|---|---|---|
| duō<br>many; much | 多 | 多 | 多 | 多 | 多 | | | | | |

| 丿 | 亅 | 小 | 少 | | | | | | | |
|---|---|---|---|---|---|---|---|---|---|---|
| shǎo<br>few; little | 少 | 少 | 少 | 少 | 少 | | | | | |

## 13 Fill in the blanks with proper numbers.

wǒ jiā yǒu　　　　 kǒu rén
1) 我家有＿＿＿口人。

wǒ　　　 suì
2) 我＿＿＿歲。

wǒ jiā de diàn huà hào mǎ shì
3) 我家的電話號碼是＿＿＿＿＿＿＿＿。

wǒ jiā yǒu　　　 jiān wò shì
4) 我家有＿＿＿間臥室。

wǒ yǒu　　　 ge shū bāo
5) 我有＿＿＿個書包。

wǒ men xué xiào yǒu　　　　　 ge lǎo shī
6) 我們學校有＿＿＿＿＿個老師。

**14** Write a few sentences about this picture. You may write pinyin if you cannot write characters.

_____

_____

_____

dì èr kè
第二課

**1** Trace the radical.

| ㇀ ㇀ ㇀ ㇀ | | | | | | | |
|---|---|---|---|---|---|---|---|
| claw | 爫 | | | | | | |

**2** Trace the characters.

| ㇀ 厂 广 ナ 皮 | | | | | | | |
|---|---|---|---|---|---|---|---|
| pí skin; fur | 皮 | 皮 | 皮 | 皮 | 皮 | | |
| 、 ㇀ 亠 ㇀ 衤 衣 | | | | | | | |
| yī clothes | 衣 | 衣 | 衣 | 衣 | 衣 | | |

**3** Count the strokes of each character.

xiōng
1) 兄 ___5___

ài
2) 愛 _____

nǎi
3) 奶 _____

yě
4) 也 _____

gū
5) 姑 _____

shū
6) 叔 _____

**4** **Read the sentences and draw pictures.**

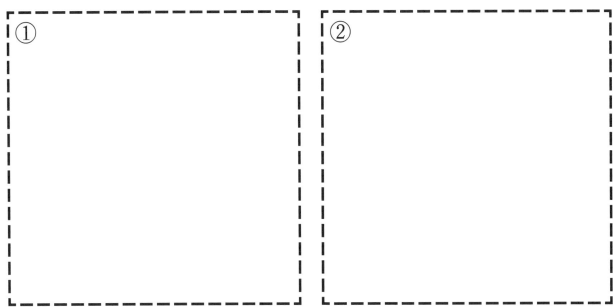

①          ② 

wǒ jiā yǒu sì kǒu rén　　bà ba
我家有四口人：爸爸、
mā ma　　dì di hé wǒ
媽媽、弟弟和我。

wǒ yǒu yé ye　　nǎi nai　　　yí
我有爺爺、奶奶、一
ge shū shu hé liǎng ge gū gu
個叔叔和兩個姑姑。

**5** **Circle the correct words.**

wǒ
1) 我  (叔叔／對對) 二十八歲。
　　　　　　　　　　　　è r shí bā suì

　　yé ye　　　nǎi nai　　　　　　　　　hěn ài wǒ
2) 爺爺、奶奶 (也／都) 很愛我。

　　nǐ jiā zhù zài　　　　　　　　　er
3) 你家住在 (那／哪) 兒？

　　jiě jie xǐ huan　　　　　sè
4) 姐姐喜歡 (白／百) 色。

## 6 Colour the phrases as required.

| shū shu | bái mǎ | yé ye | xiàng pí | chèn shān |
|---|---|---|---|---|
| 叔叔 | 白馬 | 爺爺 | 橡皮 | 襯衫 |
| hēi gǒu | hàn shān | dà xiàng | qiān bǐ | gē ge |
| 黑狗 | 汗衫 | 大象 | 鉛筆 | 哥哥 |
| mā ma | chǐ zi | gū gu | bà ba | huā māo |
| 媽媽 | 尺子 | 姑姑 | 爸爸 | 花貓 |
| yǎn jing | mèi mei | là bǐ | cháng kù | jiě jie |
| 眼睛 | 妹妹 | 蠟筆 | 長褲 | 姐姐 |
| nǎi nai | qún zi | bí zi | dì di | zuǐ ba |
| 奶奶 | 裙子 | 鼻子 | 弟弟 | 嘴巴 |

1) Family members: 黃色

2) Animals: 綠色

3) Stationery: 紫色

4) Clothing: 藍色

5) Parts of the body: 紅色

## 7 Draw the structure of each character.

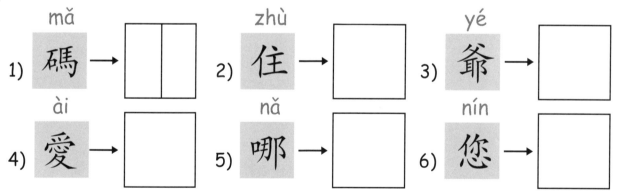

1) mǎ 碼 →

2) zhù 住 →

3) yé 爺 →

4) ài 愛 →

5) nǎ 哪 →

6) nín 您 →

## 8 Fill in the missing numbers.

| 一 |  |  | 四 |  |  |  |  | 九 |
|---|---|---|---|---|---|---|---|---|

# 9 Look, read and match. Write the letters.

**f** 1) shū bāo li yǒu shū hé qiān bǐ
書包裡有書和鉛筆。

2) zhè shì yī guì
這是衣櫃。

3) zhè shì yì jiān mù fáng
這是一間木房。

4) zhè shì shū bāo
這是書包。

5) zhè shì zhuō zi
這是桌子。

6) zhè shì yǐ zi
這是椅子。

a)

b)

c)

d)

e)

f)

**13**

## 10 Write the meaning of each sentence.

yé ye　　nǎi nai ài wǒ　　　wǒ yě ài tā men
1) 爺爺、奶奶愛我，我也愛他們。

wǒ men jiā zhù zài huā yuán lù　　gū gu jiā yě zhù zài huā yuán lù
2) 我們家住在花園路，姑姑家也住在花園路。

wǒ shū shu xǐ huan chī kuài cān　　wǒ yě xǐ huan chī kuài cān
3) 我叔叔喜歡吃快餐，我也喜歡吃快餐。

## 11 Trace the characters.

| ヽ ㇗ 口 口 尸 兄 | | | | | | |
|---|---|---|---|---|---|---|
| xiōng<br><br>elder brother | 兄 | 兄 | 兄 | 兄 | 兄 | | |
| ノ ハ 少 父 爻 爷 斧 斧 爷 爷 爺 爺 爺 | | | | | | |
| yé<br><br>grandfather | 爺 | 爺 | 爺 | 爺 | 爺 | | |
| く 女 女 奶 奶 | | | | | | |
| nǎi<br><br>milk | 奶 | 奶 | 奶 | 奶 | 奶 | | |
| ㇒ 卜 上 才 才 ホ 叔 叔 | | | | | | |
| shū<br><br>uncle | 叔 | 叔 | 叔 | 叔 | 叔 | | |

14

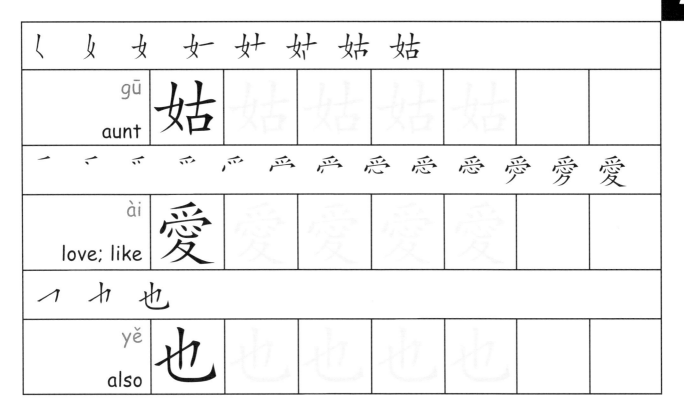

ㄑ ㄠ ㄠ 女 妇 妒 姑 姑

| | gū<br>aunt | 姑 | 姑 | 姑 | 姑 | 姑 | | |

一 ㇀ ㇀ ㆒ ㆒ 严 严 恶 恶 爱 爱 爱 愛

| | ài<br>love; like | 愛 | 愛 | 愛 | 愛 | 愛 | | |

ㄅ ㄉ 也

| | yě<br>also | 也 | 也 | 也 | 也 | 也 | | |

## 12 Colour the male words blue and female words pink.

| yé ye<br>爺爺 | gē ge<br>哥哥 |
|---|---|
| gū gu<br>姑姑 | dì di<br>弟弟 |
| nǎi nai<br>奶奶 | mā ma<br>媽媽 |
| shū shu<br>叔叔 | mèi mei<br>妹妹 |
| bà ba<br>爸爸 | jiě jie<br>姐姐 |

## 13 Make up phrases.

1)
| | 不 |
|---|---|
| 謝 | 謝 |

2)
| | |
|---|---|
| | 色 |

3)
| | |
|---|---|
| | 生 |

4)
| | |
|---|---|
| | 子 |

## 1 Trace the radical.

| ノ ク | | | | | | |
|---|---|---|---|---|---|---|
| （刀）<br>knife | ク | ク | ク | ク | ク | |

## 2 Trace the characters.

| 、 ゛ ゛ 火 | | | | | | |
|---|---|---|---|---|---|---|
| huǒ<br>fire | 火 | 火 | 火 | 火 | 火 | |
| 丨 冂 巾 | | | | | | |
| jīn<br>napkin | 巾 | 巾 | 巾 | 巾 | 巾 | |

## 3 Write the radicals.

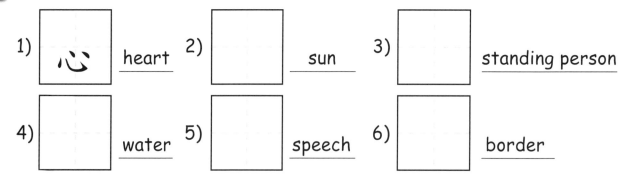

1) 心 heart    2) [ ] sun    3) [ ] standing person

4) [ ] water    5) [ ] speech    6) [ ] border

**4** Write the months in Chinese.

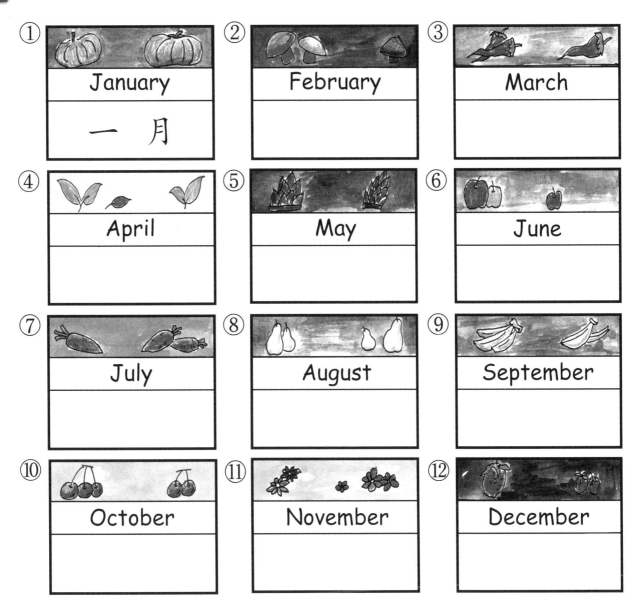

① January 一 月

② February

③ March

④ April

⑤ May

⑥ June

⑦ July

⑧ August

⑨ September

⑩ October

⑪ November

⑫ December

**5** Write the radicals.

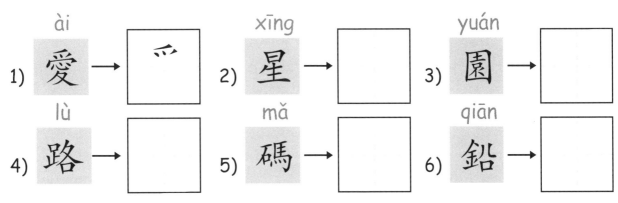

1) ài 愛 → 爫

2) xīng 星 →

3) yuán 園 →

4) lù 路 →

5) mǎ 碼 →

6) qiān 鉛 →

**6** Draw a birthday cake and write your date of birth in Chinese.

_____年
nián

_____月
yuè

_____日
rì

**7** Write their dates of birth in Chinese.

1) 爺爺的生日 ： _____年____月____日
yé ye deshēng rì          nián      yuè      rì

2) 奶奶的生日 ： _____年____月____日
nǎi nai deshēng rì         nián      yuè      rì

3) 爸爸的生日 ： _____
bà ba deshēng rì

4) 媽媽的生日 ： _____
mā ma deshēng rì

**8** Write the characters.

1) 舌 ___ tongue
shé

2) 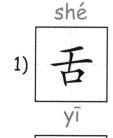 ___ bean
dòu

3) 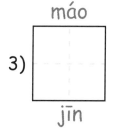 ___ hair; wool
máo

4)  ___ clothes
yī

5) 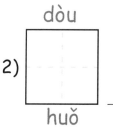 ___ fire
huǒ

6)  ___ napkin
jīn

**18**

## 9 Write the months and dates in Chinese.

1) January 1

一月一日

2) February 5

3) March 8

4) October 20

5) December 25

6) June 14

## 10 Draw these animals and colour them.

①

②

③

gǒu
狗

mǎ
馬

tù
兔

## 11 Tick what is correct and cross what is incorrect according to the calendar below.

| 二〇〇五年 | | | | | | 九月 |
|---|---|---|---|---|---|---|
| 星期日 | 星期一 | 星期二 | 星期三 | 星期四 | 星期五 | 星期六 |
| | | | | 1 | 2 | 3 |
| 4 | 5 | 6 | 7 | 8 | 9 | 10 |
| 11 | 12 | 13 | (14) 今天 | 15 | 16 | 17 |
| 18 | 19 | 20 | 21 | 22 | 23 | 24 |
| 25 | 26 | 27 | 28 | 29 | 30 | |

☐ 
jīn nián shì èr líng líng wǔ nián
1) 今年是二〇〇五年。

☐ 
jīn tiān shì jiǔ yuè èr shí yī hào
2) 今天是九月二十一號。

☐ 
jīn tiān xīng qī sān
3) 今天星期三。

## 12 Circle the wrong characters.

bà ba xǐ huan bái sè
1) 爸爸喜歡百色。

jīn tiān xīng qī rì
2) 今大星期日。

wǒ méi yǒu xiōng dì jiě mèi
3) 我沒有兒弟姐妹。

mèi mei èr líng líng yī nián chū shēng
4) 妹妹二〇〇一年出王。

## 13 Colour the following pictures as required.

①

hóng sè
红色

②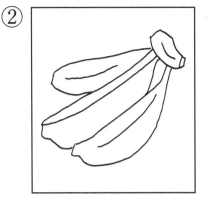

huáng sè
黄色

③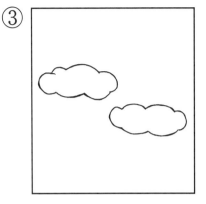

lán sè    bái sè
藍色、白色

④

hēi sè
黑色

⑤

hēi sè    bái sè
黑色、白色

## 14 Answer the following questions in picture form.

nǐ shǔ shén me
1) 你屬什麼？

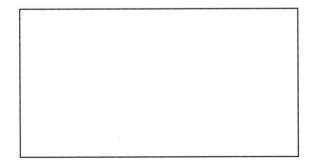

nǐ bà ba shǔ shén me
2) 你爸爸屬什麼？

## 15 Tick what is correct and cross what is incorrect according to yourself.

□ 1) wǒ shǔ tù
我屬兔。

□ 2) wǒ chū shēng nà tiān shì xīng qī yī
我出生那天是星期一。

□ 3) wǒ sì yuè chū shēng
我四月出生。

□ 4) wǒ méi yǒu xiōng dì jiě mèi
我沒有兄弟姐妹。

## 16 Trace the characters.

| ノ　人　　个　今 | | | | | | |
|---|---|---|---|---|---|---|
| jīn<br>now; today　今 | 今 | 今 | 今 | 今 | | |
| 丨　冂　冃　日 | | | | | | |
| rì<br>sun; day　日 | 日 | 日 | 日 | 日 | | |
| 乚　屮　屮　出　出 | | | | | | |
| chū<br>go or come out　出 | 出 | 出 | 出 | 出 | | |
| ノ　ヒ　ヒ　ヒ　⺦　年 | | | | | | |
| nián<br>year　年 | 年 | 年 | 年 | 年 | | |

| | | | | | | | |
|---|---|---|---|---|---|---|---|
| 丶 | 冂 | 冂 | 日 | 尸 | 戸 | 是 | 星 星 |

| xīng star | 星 | 星 | 星 | 星 | 星 | | |
|---|---|---|---|---|---|---|---|

| | | | | | | | | | | | | |
|---|---|---|---|---|---|---|---|---|---|---|---|---|
| 一 | 十 | 廿 | 艹 | 甘 | 其 | 其 | 其 | 期 | 期 | 期 | 期 | |

| qī a period of time | 期 | 期 | 期 | 期 | 期 | | |
|---|---|---|---|---|---|---|---|

丆 丆 尸 尸 尸 屈 屈 屈 屈 屜 屬 屬 屬 屬 屬 屬 屬 屬 屬 屬

| shǔ be born in the year of (one of the 12 zodiac animals) | 屬 | 屬 | 屬 | 屬 | 屬 | | |
|---|---|---|---|---|---|---|---|

丿 ク ケ 勹 缶 夘 兔 兔

| tù rabbit | 兔 | 兔 | 兔 | 兔 | 兔 | | |
|---|---|---|---|---|---|---|---|

**17 Read the sentences, draw a picture and colour it.**

tā shēn shang de máo bái bái de　　tā
它身上的毛白白的。它
yǒu hóng yǎn jing　 dà ěr duo　 xiǎo
有紅眼睛、大耳朵、小
bí zi hé xiǎo zuǐ ba　　tā xǐ huan
鼻子和小嘴巴。它喜歡
chī hú luó bo
吃胡蘿蔔。

## 1 Trace the radicals.

| 丶 丶 丬 丬 | | | | | | | |
|---|---|---|---|---|---|---|---|
| （小）<br>small | 小 | 小 | 小 | 小 | 小 | | |
| 一 十 土 | | | | | | | |
| soil | 土 | 土 | 土 | 土 | 土 | | |
| 丨 卜 上 广 卢 卢 虍 | | | | | | | |
| tiger | 虍 | 虍 | 虍 | 虍 | 虍 | | |

## 2 Trace the characters.

| 一 厂 厂 厂 戸 戸 戸 豆 豆 豆 頭 頭 頭 頭 頭 頭 頭 | | | | | | | |
|---|---|---|---|---|---|---|---|
| tóu<br>head | 頭 | 頭 | 頭 | 頭 | 頭 | | |
| 一 二 三 手 | | | | | | | |
| shǒu<br>hand | 手 | 手 | 手 | 手 | 手 | | |

**3** **Draw pictures and colour them.**

Example:

mǎ de tóu

馬的頭

① 

hóu zi de zuǐ ba

猴子的嘴巴

② 

dà xiàng de bí zi

大象的鼻子

③ 

lǎo hǔ de ěr duo

老虎的耳朵

④ 

shé de tóu

蛇的頭

⑤ 

shī zi de tóu

獅子的頭

⑥ 

xióng māo de yǎn jing

熊貓的眼睛

**4** **Count the strokes of each character.**

cháng

1)  常 **11**

dài

2) 帶 _____

qù

3) 去 _____

hǔ

4)  虎 _____

shī

5) 獅 _____

xióng

6) 熊 _____

## 5 Write the characters.

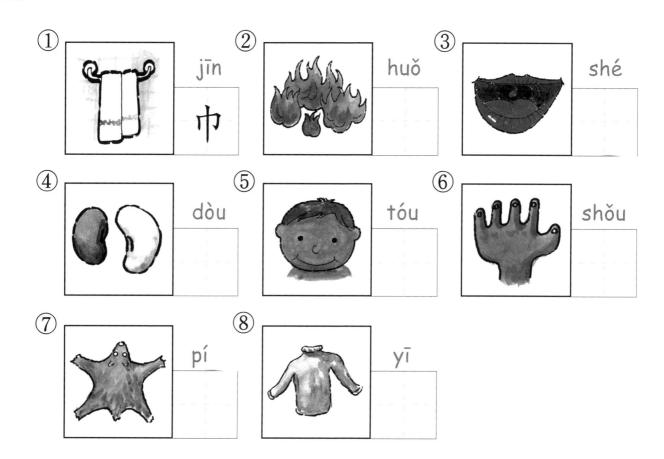

① jīn  巾

② huǒ

③ shé

④ dòu

⑤ tóu

⑥ shǒu

⑦ pí

⑧ yī

## 6 Tick what is correct and cross what is incorrect.

lǎo hǔ shì dòng wù
1) 老虎是動物。

nǎi nai shì bà ba de mā ma
2) 奶奶是爸爸的媽媽。

huáng gua shì shuǐ guǒ
3) 黃瓜是水果。

hú luó bo shì shū cài
4) 胡蘿蔔是蔬菜。

**7** **Write the radicals.**

1) 口 ____mouth____  2) ☐ ____sunset____  3) ☐ ____father____

4) ☐ ____crops____  5) ☐ ____foot____  6) ☐ ____standing person____

**8** **Draw the animals listed below and colour the pictures.**

mǎ
1) 馬

shé
2) 蛇

xióng māo
3) 熊貓

hóu zi
4) 猴子

dà xiàng
5) 大象

lǎo hǔ
6) 老虎

shī zi
7) 獅子

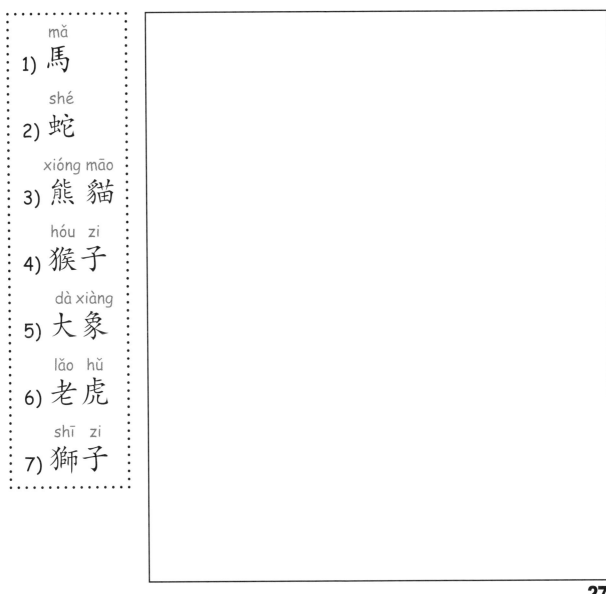

## 9 Colour the phrases as required.

| píng guǒ<br>蘋果 | hóu zi<br>猴子 | wò shì<br>臥室 | huáng gua<br>黃瓜 | hēi gǒu<br>黑狗 |
|---|---|---|---|---|
| tù zi<br>兔子 | luó bo<br>蘿蔔 | dà xiàng<br>大象 | chú fáng<br>廚房 | yé ye<br>爺爺 |
| lǎo hǔ<br>老虎 | rè gǒu<br>熱狗 | shī zi<br>獅子 | shū shu<br>叔叔 | kè tīng<br>客廳 |
| shé<br>蛇 | xiāng jiāo<br>香蕉 | shū fáng<br>書房 | xióng māo<br>熊貓 | nǎi nai<br>奶奶 |

1) Food: 綠色

2) Rooms: 藍色

3) Animals: 黃色

4) Family members:
   紅色

## 10 Colour the pictures and write the names of the animals. You may write pinyin if you cannot write characters.

①

②

③

_____ _____ _____

④

⑤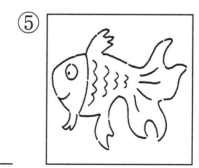

_____ _____

**28**

**11** **Read the sentences, draw pictures and colour them.**

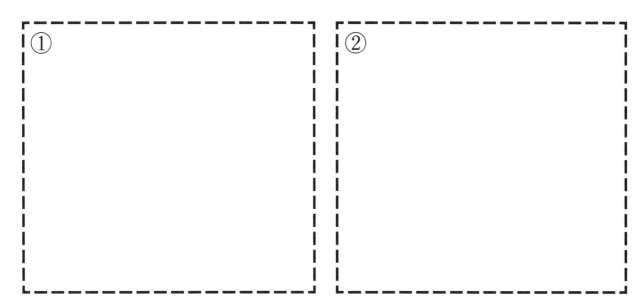

① ②

shū bāo li yǒu wén jù hé chǐ
書包裡有文具盒、尺
zi běn zi děng děng
子、本子等等。

cān zhuō shang yǒu xiāng jiāo píng
餐桌上有香蕉、蘋
guǒ kě lè guǒ zhī děng děng
果、可樂、果汁等等。

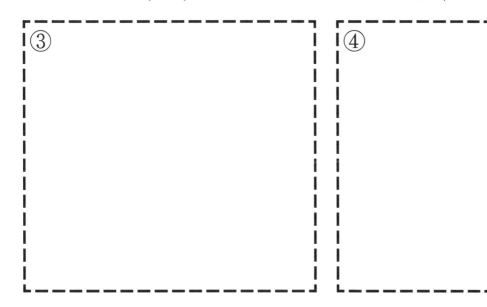

③ ④

dòng wù yuán li yǒu dà xiàng lǎo
動物園裡有大象、老
hǔ shī zi xióng māo děng děng
虎、獅子、熊貓等等。

wǒ de fáng jiān li yǒu shū zhuō yǐ
我的房間裡有書桌、椅
zi chuáng yī guì děng děng
子、床、衣櫃等等。

## 12 Trace the characters.

丶 丷 丷 丷 严 严 常 常 常 常 常

| cháng / often | 常 | 常 | 常 | 常 | 常 | | |

一 十 卄 卄 卅 卅 带 带 带 带 带

| dài / take; bring | 带 | 带 | 带 | 带 | 带 | | |

一 十 土 去 去

| qù / go | 去 | 去 | 去 | 去 | 去 | | |

丿 丬 犭 犭 犭 犷 猴 猴 猴 猴 猴 猴

| hóu / monkey | 猴 | 猴 | 猴 | 猴 | 猴 | | |

丨 卜 上 广 产 卢 虎 虎 虎

| hǔ / tiger | 虎 | 虎 | 虎 | 虎 | 虎 | | |

丿 丷 丷 夕 각 쇼 鱼 免 免 象 象 象 象

| xiàng / elephant | 象 | 象 | 象 | 象 | 象 | | |

| | ノ | 犭 | 犭 | 犭 | 犭 | 狎 | 狎 | 猇 | 猇 | 猇 | 獅 | 獅 |
|---|---|---|---|---|---|---|---|---|---|---|---|---|
| shī lion | 獅 | | | | | | | | | | | |
| | ㇐ | ㇜ | 㠯 | 台 | 台 | 肖 | 育 | 能 | 能 | 能 | 能 | 熊 | 熊 |
| xióng bear | 熊 | | | | | | | | | | | |
| | 丶 | ㇐ | 口 | 口 | 中 | 虫 | 虫 | 虵 | 虵 | 虵 | 蛇 | 蛇 | |
| shé snake | 蛇 | | | | | | | | | | | |
| | ノ | ㇒ | 𥫗 | 𥫗 | 𥫗 | 竹 | 竹 | 竿 | 笙 | 笙 | 等 | 等 | |
| děng etc. | 等 | | | | | | | | | | | |

## 13 Make up phrases.

1)
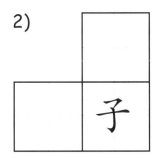
| 老 | 虎 |
|---|---|
| 師 | |

2)
| | |
|---|---|
| | 子 |

3)
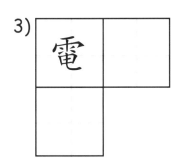
| 電 | |
|---|---|
| | |

4)
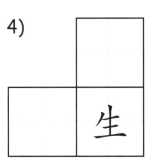
| | |
|---|---|
| | 生 |

## 14 Circle the odd ones.

1)
shī zi 獅子　hóu zi 猴子　chǐ zi 尺子

2)
cháng cháng 常常　yé ye 爺爺　shū shu 叔叔

3)
lǎo hǔ 老虎　xiàng pí 橡皮　shé 蛇

4)
xióng māo 熊貓　rè gǒu 熱狗　tù zi 兔子

dì wǔ kè
# 第五課

## 1 Trace the characters.

| | | 一 | 厂 | 丆 | 刃 | 巫 | 兩 | 來 | 來 | | |
|---|---|---|---|---|---|---|---|---|---|---|---|
| lái<br>come | 來 | 來 | 來 | 來 | 來 | | |

| | | 一 | 十 | 土 | 去 | 去 | | | | | |
|---|---|---|---|---|---|---|---|---|---|---|---|
| qù<br>go | 去 | 去 | 去 | 去 | | | |

## 2 Colour the pictures and write the colour words in pinyin.

①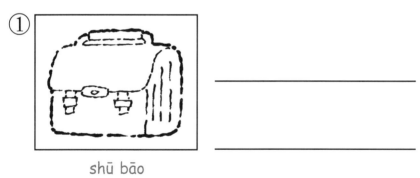

shū bāo
書包

_____

_____

②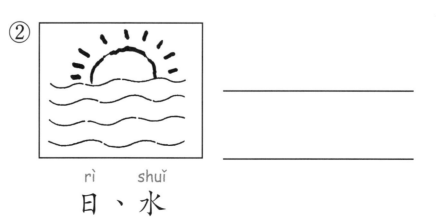

rì     shuǐ
日、水

_____

_____

**32**

③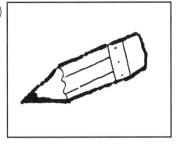

qiān bǐ
鉛筆

_____

_____

④

māo　gǒu　mǎ　xióng māo　niú　jī
貓、狗、馬、熊貓、牛、鷄

_____

_____

_____

_____

_____

⑤

xiǎo mù fáng
小木房

_____

_____

## 3 Fill in the blanks with proper numbers.

1) jīn nián shì  nǎ nián    jīn nián shì           nián
今年是哪年？今年是＿＿＿＿＿年。

2) jīn tiān jǐ yuè jǐ hào    jīn tiān      yuè       hào
今天幾月幾號？今天＿＿月＿＿號。

3) jīn tiān xīng qī jǐ    jīn tiān xīng qī
今天星期幾？今天星期＿＿。

## 4 Write the radicals.

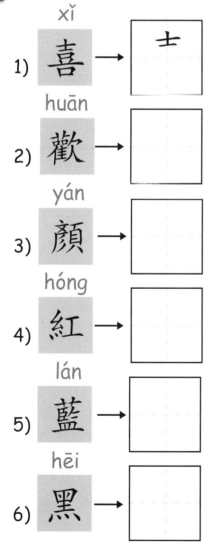

xǐ
1) 喜 →  士

huān
2) 歡 →

yán
3) 顏 →

hóng
4) 紅 →

lán
5) 藍 →

hēi
6) 黑 →

## 5 Count the strokes of each character.

chéng
1) 橙  16

huī
2) 灰 ＿＿＿

zǐ
3) 紫 ＿＿＿

fěn
4) 粉 ＿＿＿

lǜ
5) 綠 ＿＿＿

lán
6) 藍 ＿＿＿

**6** **Look around in your home. Draw pictures in different shapes and colour them.**

① 

dà   dà   de
大 大 的

② 

gāo gāo  de
高高的

③ 

xiǎo xiǎo de
小小的

④ 

cháng cháng de
長 長 的

## 7 Write the radicals.

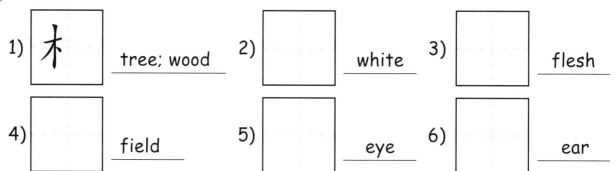

1) 木 ___tree; wood___

2) ⬚ ___white___

3) ⬚ ___flesh___

4) ⬚ ___field___

5) ⬚ ___eye___

6) ⬚ ___ear___

## 8 Look, read and match. Write the letters.

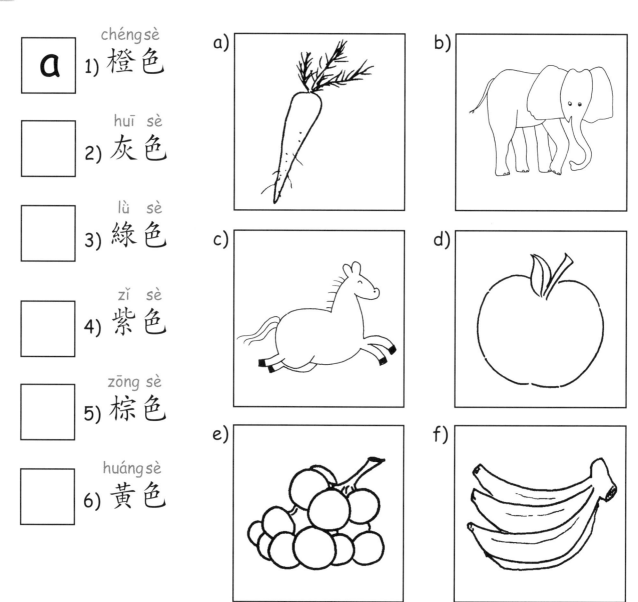

a | 1) chéng sè 橙色

⬚ | 2) huī sè 灰色

⬚ | 3) lǜ sè 綠色

⬚ | 4) zǐ sè 紫色

⬚ | 5) zōng sè 棕色

⬚ | 6) huáng sè 黃色

a)

b)

c)

d)

e)

f)

**9** **Read the phrases, draw pictures and colour them.**

①

fěn hóng sè de qún zi
粉紅色的裙子

②

chéng sè de chèn shān
橙色的襯衫

③

zǐ sè de shū bāo
紫色的書包

④

lù sè de shé
綠色的蛇

⑤

huī sè de dà xiàng
灰色的大象

⑥

zōng sè de fáng zi
棕色的房子

# 10 Find the four sentences and colour them.

| mèi | mei | sān | yuè | huā | yuán | lù | liù | hào |
|---|---|---|---|---|---|---|---|---|
| 妹 | 妹 | 三 | 月 | 花 | 園 | 路 | 六 | 號。 |
| nǎi | nai | zhù | zài | shí | wǔ | rì | chū | shēng |
| 奶 | 奶 | 住 | 在 | 十 | 五 | 日 | 出 | 生。 |
| dòng | wù | yuán | li | zǐ | sè | hé | lù | sè |
| 動 | 物 | 園 | 裡 | 紫 | 色 | 和 | 綠 | 色。 |
| jiě | jie | xǐ | huan | yǒu | wǔ | tóu | dà | xiàng |
| 姐 | 姐 | 喜 | 歡 | 有 | 五 | 頭 | 大 | 象。 |

# 11 Trace the characters.

| 一 | ナ | 太 | 太 | 灰 | 灰 | | | | | | |
|---|---|---|---|---|---|---|---|---|---|---|---|
| huī grey | 灰 | 灰 | 灰 | 灰 | 灰 | | | | | | |
| 一 | 十 | 才 | 木 | 朳 | 朳 | 柠 | 柠 | 柠 | 柠 | 棕 | 棕 |
| zōng palm | 棕 | 棕 | 棕 | 棕 | 棕 | | | | | | |
| ㇑ | 卜 | 止 | 止 | 止 | 此 | 此 | 紫 | 紫 | 紫 | 紫 | |
| zǐ purple | 紫 | 紫 | 紫 | 紫 | 紫 | | | | | | |

38

| 一 十 才 术 术 术 术 柸 柸 柸 棓 棓 棓 橙 橙 | | | | | |
|---|---|---|---|---|---|
| chéng<br>orange<br>橙 | 橙 | 橙 | 橙 | 橙 | | |

| 丶 丶 丷 丷 半 半 米 米 粋 粉 粉 | | | | | |
|---|---|---|---|---|---|
| fěn<br>powder<br>粉 | 粉 | 粉 | 粉 | 粉 | | |

| 乀 乡 乡 幺 幺 乡 糹 糹 絼 絼 綠 綠 綠 綠 | | | | | |
|---|---|---|---|---|---|
| lǜ<br>green<br>綠 | 綠 | 綠 | 綠 | 綠 | | |

## 12 Colour the words as required.

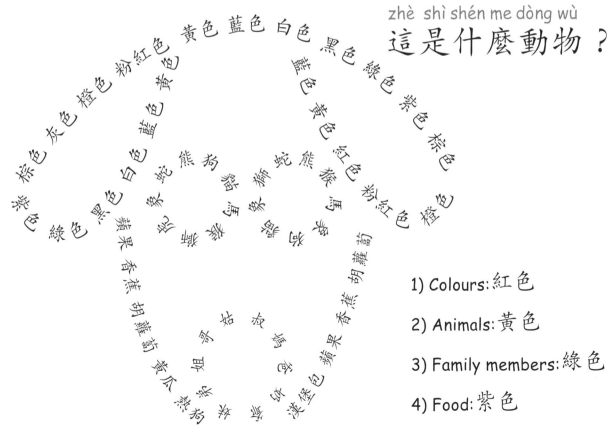

zhè shì shén me dòng wù
這是什麼動物？

1) Colours: 紅色

2) Animals: 黃色

3) Family members: 綠色

4) Food: 紫色

## 1 Trace the characters.

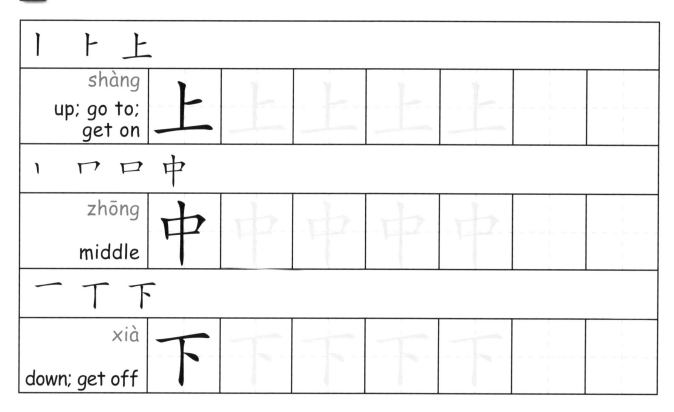

| 丨 卜 上 | | | | | | |
|---|---|---|---|---|---|---|
| shàng<br>up; go to;<br>get on 上 | 上 | 上 | 上 | 上 | | |
| 丨 冂 口 中 | | | | | | |
| zhōng<br>middle 中 | 中 | 中 | 中 | 中 | | |
| 一 丁 下 | | | | | | |
| xià<br>down; get off 下 | 下 | 下 | 下 | 下 | | |

## 2 Write the radicals.

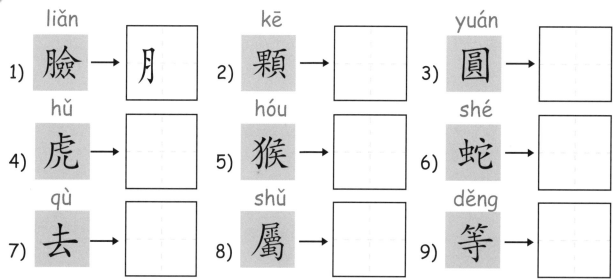

1) liǎn 臉 → 月

2) kē 顆 →

3) yuán 圓 →

4) hǔ 虎 →

5) hóu 猴 →

6) shé 蛇 →

7) qù 去 →

8) shǔ 屬 →

9) děng 等 →

**3** **Read the sentences, draw a person and colour the picture.**

tā shì ge nán de
他是個男的。

tā de liǎn yuán yuán de
他的臉圓圓的。

tā de ěr duo dà dà de
他的耳朵大大的。

tā de yǎn jing dà dà de
他的眼睛大大的。

tā de bí zi gāo gāo de
他的鼻子高高的。

tā de zuǐ ba xiǎo xiǎo de
他的嘴巴小小的。

tā yǒu sān kē yá chǐ
他有三顆牙齒。

tā de shǒu xiǎo xiǎo de
他的手小小的。

tā de jiǎo yě xiǎo xiǎo de
他的腳也小小的。

# 4 Count the strokes of each character.

1) 這 *zhè* 10

2) 學 *xué* ___

3) 穿 *chuān* ___

4) 裙 *qún* ___

5) 瘦 *shòu* ___

6) 動 *dòng* ___

# 5 Connect the matching parts to make characters and write them out.

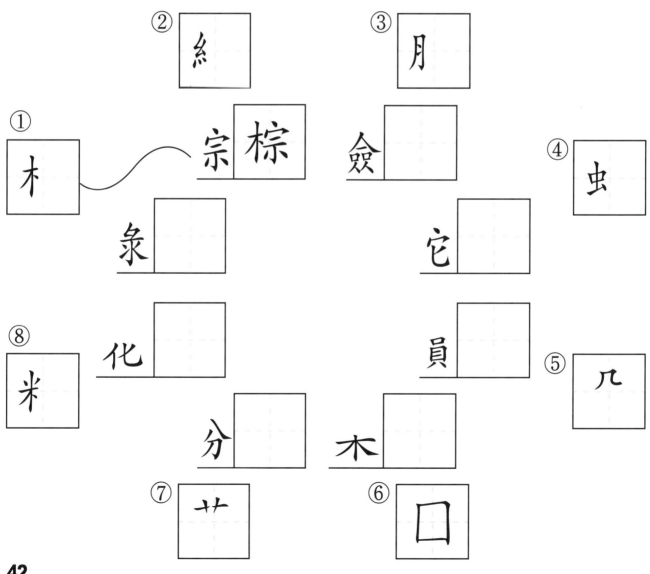

## 6 Read and match.

1) nǐ dì di yǒu jǐ kē yá chǐ
你弟弟有幾顆牙齒？ •

2) nǐ xǐ huan shén me yán sè
你喜歡什麼顏色？ •

3) nǐ cháng cháng qù dòng wù yuán ma
你常常去動物園嗎？•

4) nǐ jiā zhù zài nǎr
你家住在哪兒？ •

5) nǐ yǒu xiōng dì jiě mèi ma
你有兄弟姐妹嗎？ •

a) zǐ sè
• 紫色。

b) sì kē
• 四顆。

c) bù cháng qù
• 不常去。

d) méi yǒu
• 沒有。

e) huā yuán lù
• 花園路。

## 7 Circle the phrases as required.

| yá 牙 | chǐ 齒 | yuán 圓 | liǎn 臉 | kě 可 |
|---|---|---|---|---|
| zōng 棕 | zǐ 紫 | chéng 橙 | lǎo 老 | ài 愛 |
| huī 灰 | sè 色 | lǜ 綠 | hǔ 虎 | shī 師 |
| hēi 黑 | xióng 熊 | māo 貓 | jīn 今 | tiān 天 |

1) teeth ✓  7) panda

2) lovely  8) teacher

3) brown  9) tiger

4) purple  10) black bear

5) orange  11) today

6) grey  12) round face

## 8 Trace the characters.

| 丶 冂 曰 日 旦 甲 畍 果 果 果 果 顆 顆 顆 顆 顆 顆 | | | | | | |
|---|---|---|---|---|---|---|
| kē<br>measure word | 顆 | 顆 | 顆 | 顆 | 顆 | | |

| 一 二 于 牙 | | | | | | |
|---|---|---|---|---|---|---|
| yá<br>tooth | 牙 | 牙 | 牙 | 牙 | 牙 | | |

| 丨 止 止 止 齿 齿 齿 齿 齿 齿 齿 齿 齒 齒 | | | | | | |
|---|---|---|---|---|---|---|
| chǐ<br>tooth | 齒 | 齒 | 齒 | 齒 | 齒 | | |

| 丿 刀 月 月 肸 肸 脸 脸 脸 脸 脸 脸 臉 臉 臉 臉 | | | | | | |
|---|---|---|---|---|---|---|
| liǎn<br>face | 臉 | 臉 | 臉 | 臉 | 臉 | | |

| 丨 冂 冂 門 冃 冃 同 冃 冃 冑 圓 圓 圓 | | | | | | |
|---|---|---|---|---|---|---|
| yuán<br>round | 圓 | 圓 | 圓 | 圓 | 圓 | | |

| 一 丅 丌 丌 丌 耳 耳 | | | | | | |
|---|---|---|---|---|---|---|
| ěr<br>ear | 耳 | 耳 | 耳 | 耳 | 耳 | | |

| 丿 几 几 凸 卆 朵 朵 | | | | | | |
|---|---|---|---|---|---|---|
| duǒ<br>measure<br>word; clouds | 朵 | 朵 | 朵 | 朵 | | |
| 丿 刀 月 月 月 月 月 胪 胪 胪 脐 脐 脚 脚 | | | | | | |
| jiǎo<br>foot | 腳 | 腳 | 腳 | 腳 | | |

## 9 Tick what is correct and cross what is incorrect.

tā  de liǎn yuán yuán de
1) 她的臉圓圓的。 ✓

tā  de tóu  fa cháng cháng de
2) 她的頭髮長長的。

tā pàng pàng de
3) 她胖胖的。

tā  de  ěr  duo xiǎo xiǎo de
4) 她的耳朵小小的。

tā  de shǒu hěn  dà
5) 她的手很大。

tā  de jiǎo dà  dà  de
6) 她的腳大大的。

## 1 Trace the radical.

| ノ ㇄ ゲ 夂 | | | | | | |
|---|---|---|---|---|---|---|
| writing | 夂 | 夂 | 夂 | 夂 | 夂 | |

## 2 Trace the characters.

| 一 ナ 大 | | | | | | |
|---|---|---|---|---|---|---|
| dà<br>big | 大 | 大 | 大 | 大 | 大 | |

| 亅 小 小 | | | | | | |
|---|---|---|---|---|---|---|
| xiǎo<br>small | 小 | 小 | 小 | 小 | 小 | |

## 3 Connect the matching words.

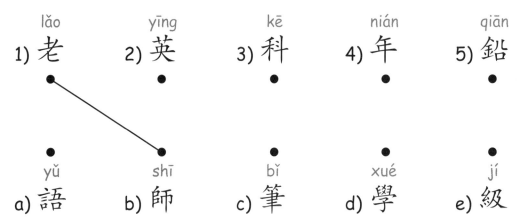

1) 老 lǎo   2) 英 yīng   3) 科 kē   4) 年 nián   5) 鉛 qiān

a) 語 yǔ   b) 師 shī   c) 筆 bǐ   d) 學 xué   e) 級 jí

## 4 Match the subject with the picture.

1) 英語 yīng yǔ
2) 漢語 hàn yǔ
3) 數學 shù xué
4) 科學 kē xué

## 5 Connect the matching words.

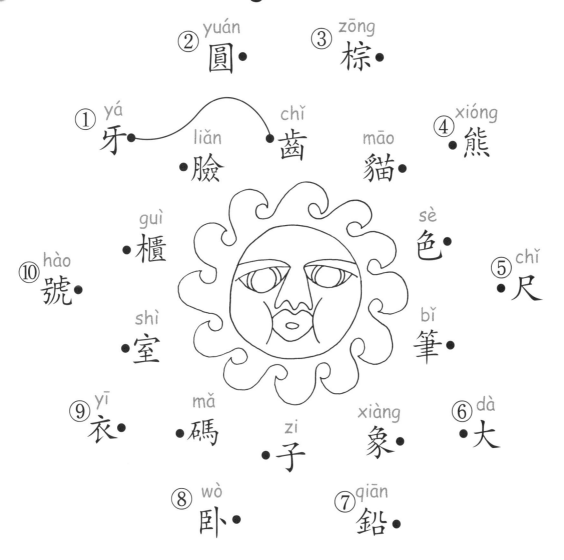

② 圓 yuán
③ 棕 zōng
① 牙 yá
齒 chǐ
臉 liǎn
④ 熊 xióng
貓 māo
色 sè
櫃 guì
⑩ 號 hào
室 shì
⑤ 尺 chǐ
筆 bǐ
⑨ 衣 yī
碼 mǎ
子 zi
象 xiàng
⑥ 大 dà
⑧ 卧 wò
⑦ 鉛 qiān

## 6 Look, read and match.

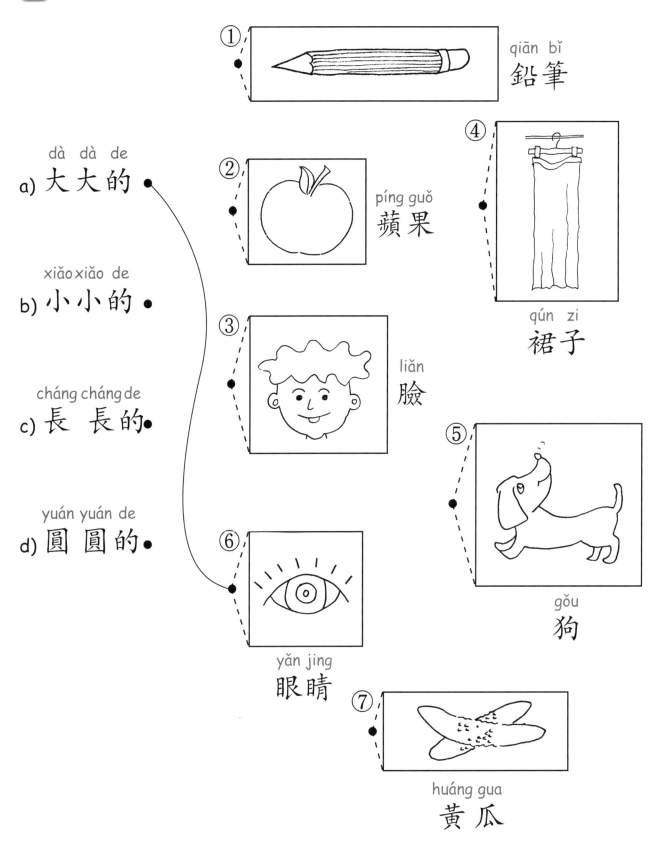

① qiān bǐ 鉛筆

② píng guǒ 蘋果

③ liǎn 臉

④ qún zi 裙子

⑤ gǒu 狗

⑥ yǎn jing 眼睛

⑦ huáng gua 黃瓜

a) dà dà de 大大的

b) xiǎo xiǎo de 小小的

c) cháng cháng de 長 長的

d) yuán yuán de 圓 圓的

## 7 Draw the structure of each character.

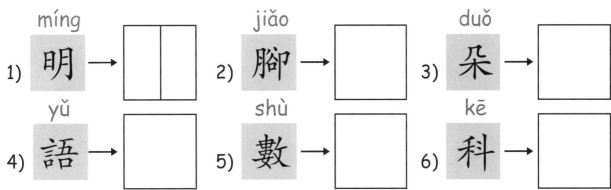

1) míng 明 →
2) jiǎo 腳 →
3) duǒ 朵 →
4) yǔ 語 →
5) shù 數 →
6) kē 科 →

## 8 Draw a picture of your Chinese teacher and circle the matching words.

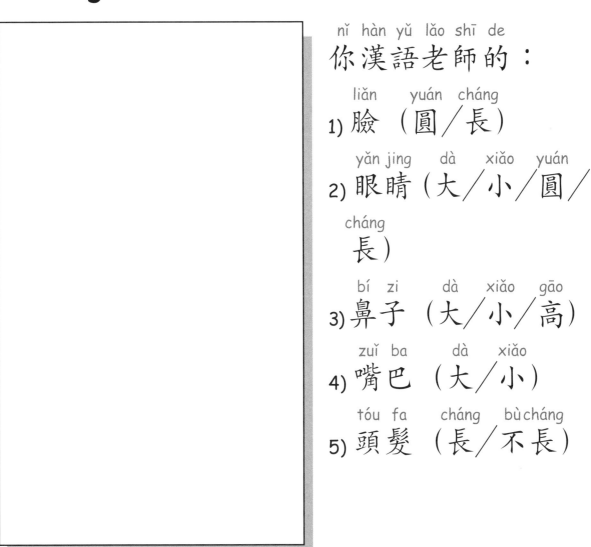

nǐ hàn yǔ lǎo shī de
你漢語老師的：

liǎn yuán cháng
1) 臉（圓／長）

yǎn jing dà xiǎo yuán
2) 眼睛（大／小／圓／

cháng
長）

bí zi dà xiǎo gāo
3) 鼻子（大／小／高）

zuǐ ba dà xiǎo
4) 嘴巴（大／小）

tóu fa cháng bù cháng
5) 頭髮（長／不長）

# 9 Write the characters.

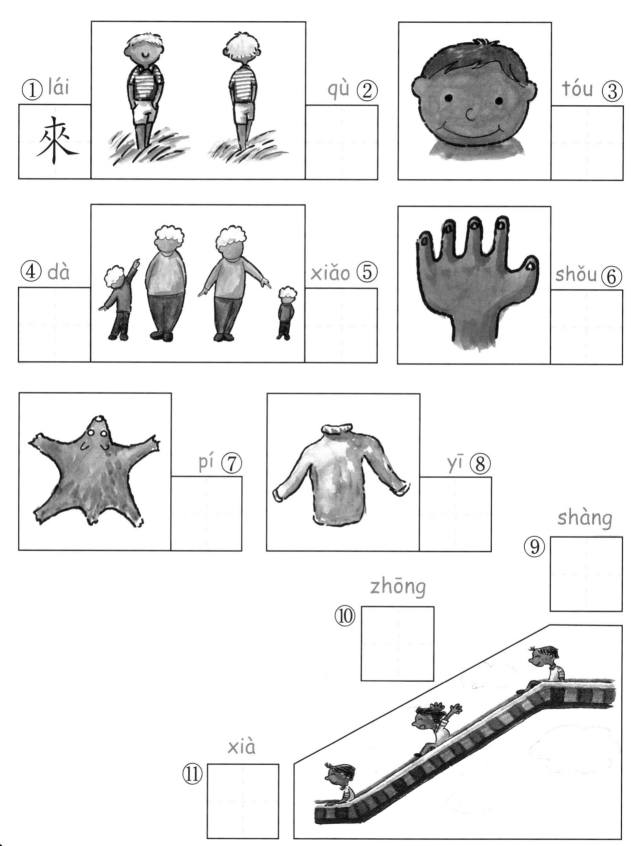

① lái
來

qù ②

tóu ③

④ dà

xiǎo ⑤

shǒu ⑥

pí ⑦

yī ⑧

shàng
⑨

zhōng
⑩

xià
⑪

**10** Write the names of the things you know in the picture. You may write pinyin if you cannot write characters.

_____

_____

**11** Write the meaning of each sentence.

dì di de liǎn yuán yuán de
1) 弟弟的臉圓圓的。

dòng wù yuán li yǒu hěn duō dà xiàng
2) 動物園裡有很多大象。

cān zhuō shang yǒu wǔ ge chéng
3) 餐桌上有五個橙。

wǒ yǒu zōng sè de cháng tóu fa
4) 我有棕色的長頭髮。

## 12 Trace the characters.

| 丨 丷 业 业 芈 光 | | | | | | |
|---|---|---|---|---|---|---|
| guāng<br>light | 光 | 光 | 光 | 光 | 光 | | |

| 丨 冂 月 日 日 明 明 明 | | | | | | |
|---|---|---|---|---|---|---|
| míng<br>bright | 明 | 明 | 明 | 明 | 明 | | |

| 𠃊 𠃊 𠃋 纟 纟 纟 级 级 级 | | | | | | |
|---|---|---|---|---|---|---|
| jí<br>grade | 級 | 級 | 級 | 級 | 級 | | |

| 丶 十 艹 艹 𦭝 苎 苎 英 英 | | | | | | |
|---|---|---|---|---|---|---|
| yīng<br>English | 英 | 英 | 英 | 英 | 英 | | |

| 丶 二 三 言 言 言 訁 訂 訂 語 語 語 語 語 | | | | | | |
|---|---|---|---|---|---|---|
| yǔ<br>language | 語 | 語 | 語 | 語 | 語 | | |

| 丶 冂 曰 曰 甲 甲 昌 昌 曹 曹 婁 婁 數 數 數 | | | | | | |
|---|---|---|---|---|---|---|
| shù<br>number | 數 | 數 | 數 | 數 | 數 | | |

52

一 二 千 禾 禾 禾 禾 禾 科

kē
subject of study
科

**13** Circle the phrases as required.

| shù 數 | xué 學 | jīn 今 | tiān 天 |
|---|---|---|---|
| zhōng 中 | shàng 上 | kē 科 | nián 年 |
| xiǎo 小 | xué 學 | xiào 校 | jí 級 |
| hóng 紅 | kě 可 | ài 愛 | yīng 英 |
| huā 花 | yuán 園 | hàn 漢 | yǔ 語 |

1) middle school ✓
2) maths
3) primary school
4) science
5) lovely
6) garden
7) this year
8) red flower
9) grade
10) English
11) go to school
12) today
13) school

**14** Answer the following questions. You may write pinyin if you cannot write characters.

nǐ xué fǎ yǔ ma
1) 你學法語嗎？ _____

nǐ xǐ huan xué hàn yǔ ma
2) 你喜歡學漢語嗎？ _____

nǐ xǐ huan xué shén me
3) 你喜歡學什麼？ _____

## 1 Trace the radicals.

| 一 二 干 王 | | | | | | |
|---|---|---|---|---|---|---|
| king 王 | 王 | 王 | 王 | 王 | | |

| 丶 丷 丷 丷 羊 羊 | | | | | | |
|---|---|---|---|---|---|---|
| sheep 羊 | 羊 | 羊 | 羊 | 羊 | | |

## 2 Trace the characters.

| ノ ク タ 夕 多 多 | | | | | | |
|---|---|---|---|---|---|---|
| duō many; much 多 | 多 | 多 | 多 | 多 | | |

| 亅 小 小 少 | | | | | | |
|---|---|---|---|---|---|---|
| shǎo little; less 少 | 少 | 少 | 少 | 少 | | |

## 3 Count the strokes of each character.

míng
1) 明  8

bān
2) 班  ___

měi
3) 美  ___

## 4 Match the opposite words.

dà
1) 大 •

shǎo
• a) 少

duō
2) 多 •

xià
• b) 下

shàng
3) 上 •

xiǎo
• c) 小

hēi
4) 黑 •

bái
• d) 白

lái
5) 來 •

shòu
• e) 瘦

pàng
6) 胖 •

qù
• f) 去

nán
7) 男 •

jiǎo
• g) 腳

tóu
8) 頭 •

nǚ
• h) 女

## 5 Look, read and match. Write the letters.

sān duǒ huā
e  1) 三朵花

sì duǒ huā
☐ 2) 四朵花

wǔ duǒ huā
☐ 3) 五朵花

liù duǒ huā
☐ 4) 六朵花

bā duǒ huā
☐ 5) 八朵花

a)

b)

c)

d)

e)

## 6 Read and match.

xiǎo xué
小學 :

yì nián jí
一年级 ●————●

liù suì
六歲

èr nián jí
二年级 ●

bā suì
●八歲

sān nián jí
三年级 ●

qī suì
●七歲

sì nián jí
四年级 ●

shí suì
●十歲

wǔ nián jí
五年级 ●

jiǔ suì
●九歲

liù nián jí
六年级 ●

shí yī suì
●十一歲

## 7 Connect the matching parts to make characters.

1) 羊 ●

2) 艹 ●

3) 禾 ●

4) 糹 ●

5) 月 ●

6) 氵 ●

● a) 央

● b) 大

● c) 及

● d) 斗

● e) 莫

● f) 僉

# 8 Look, read and match. Write the letters.

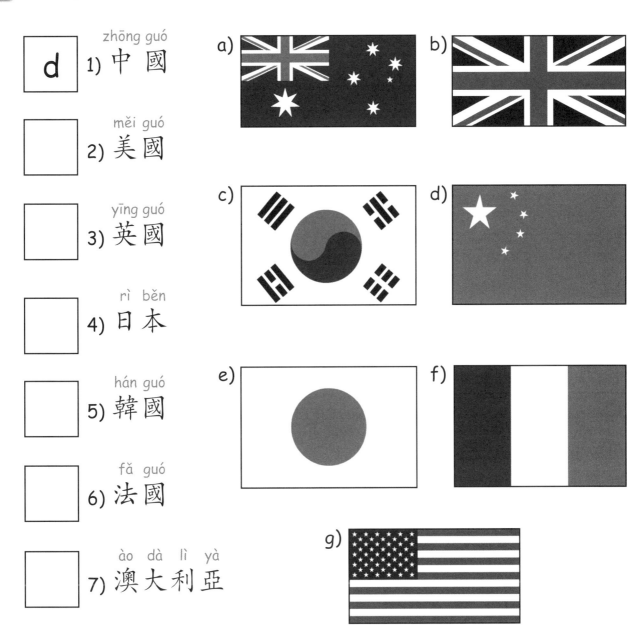

1) zhōng guó 中國  d

2) měi guó 美國

3) yīng guó 英國

4) rì běn 日本

5) hán guó 韓國

6) fǎ guó 法國

7) ào dà lì yà 澳大利亞

a)

b)

c)

d)

e)

f)

g)

# 9 Fill in the missing numbers.

| 十一 | | | | 十五 |
| --- | --- | --- | --- | --- |

## 10 Make up phrases. You may write pinyin if you cannot write characters.

1)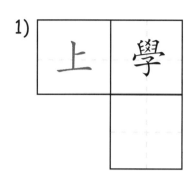

2)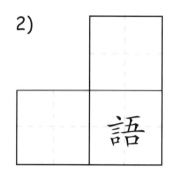

3)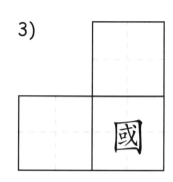

4)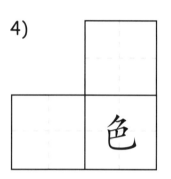

5)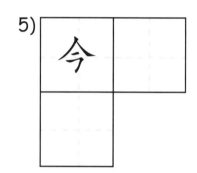

6)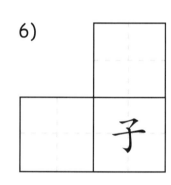

## 11 Circle the odd ones.

1) 中國 zhōng guó　日本 rì běn　數學 shù xué　2) 牙齒 yá chǐ　耳朵 ěr duo　花園 huā yuán

3) 漢語 hàn yǔ　可愛 kě ài　英語 yīng yǔ　4) 熊貓 xióng māo　星期 xīng qī　猴子 hóu zi

5) 橙色 chéng sè　綠色 lǜ sè　老虎 lǎo hǔ　6) 期 qī　臉 liǎn　腳 jiǎo

7) 同學 tóng xué　常常 cháng cháng　學生 xué sheng　8) 顆 kē　圓 yuán　長 cháng

58

# 12 Maze: find the sentences and write them out.

1)

| wǒ | yé | ye | ěr | liǎn | děng |
|---|---|---|---|---|---|
| 我 | 爺 | 爺 | 耳 | 臉 | 等 |
| nián | jí | shì | yīng | guó | rén |
| 年 | 級 | 是 | 英 | 國 | 人 |

。 ⟶ My grandpa is British.

wǒ
我　爺爺是英國人。

2)

| tā | gē | ge | shì | dà | shǔ |
|---|---|---|---|---|---|
| 她 | 哥 | 哥 | 是 | 大 | 屬 |
| tóng | bān | xué | jí | xué | shēng |
| 同 | 班 | 學 | 級 | 學 | 生 |

。 ⟶ Her elder brother is a university student.

tā
她 _____

3)

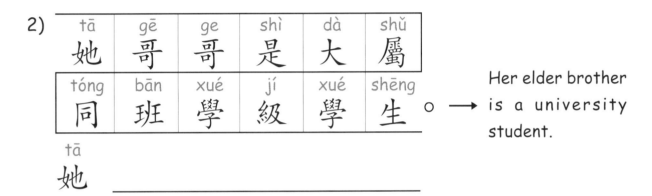

| tā | shì | wǒ | de | suàn | shù | bān |
|---|---|---|---|---|---|---|
| 他 | 是 | 我 | 的 | 算 | 術 | 班 |
| měi | guó | yǔ | hàn | yǔ | lǎo | shī |
| 美 | 國 | 語 | 漢 | 語 | 老 | 師 |

。 ⟶ He is my Chinese teacher.

tā
他 _____

4)

| wǒ | men | méi | shí | ge | xué |
|---|---|---|---|---|---|
| 我 | 們 | 沒 | 十 | 個 | 學 |
| shàng | bān | yǒu | sān | shàng | sheng |
| 上 | 班 | 有 | 三 | 上 | 生 |

。 ⟶ There are 30 students in my class.

wǒ
我 _____

## 13 Read the sentences, draw pictures and colour them.

1)

zài dòng wù yuán
在 動 物 園

li    yǒu de shé
裡， 有 的 蛇

hěn dà    yě hěn
很 大 ， 也 很

cháng    yǒu de shé
長 ; 有 的 蛇

hěn xiǎo
很 小 。

zhuō zi shang yǒu shí
桌 子 上 有 十

ge píng guǒ    yǒu de
個 蘋 果 ， 有 的

dà    yǒu de xiǎo
大 ， 有 的 小 ;

yǒu de shì hóng sè
有 的 是 紅 色

de    yǒu de shì huáng
的 ， 有 的 是 黃

sè de
色 的 。

2)

## 14 Write a paragraph about yourself.

EXAMPLE:

wǒ gē ge jīn nián shí èr suì
我哥哥今年十二歲。

tā shì zhōng xué shēng    tā shàng
他是中學生。他上

bā nián jí       tā zài sān bān
八年級。他在三班。

wǒ mèi mei jīn nián shí suì      tā
我妹妹今年十歲。她

shì xiǎo xué shēng     tā shàng wǔ
是小學生。她上五

nián jí       tā zài       bān
年級。她在A班。

_____

_____

_____

## 15 Write the radicals.

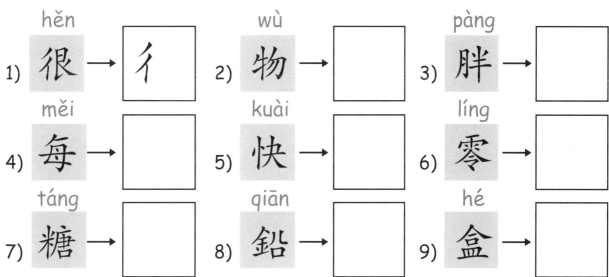

hěn
1) 很 → 彳

wù
2) 物 →

pàng
3) 胖 →

měi
4) 每 →

kuài
5) 快 →

líng
6) 零 →

táng
7) 糖 →

qiān
8) 鉛 →

hé
9) 盒 →

## 16 Circle the phrases as required.

| měi 美 | yīng 英 | lǎo 老 | hǔ 虎 | rì 日 | yīng 英 |
|---|---|---|---|---|---|
| zhōng 中 | guó 國 | shī 師 | hēi 黑 | běn 本 | yǔ 語 |
| zōng 棕 | chéng 橙 | xióng 熊 | māo 貓 | diàn 電 | huà 話 |
| zǐ 紫 | sè 色 | jīn 今 | tiān 天 | nǎo 腦 | shì 視 |

1) America ✓
2) England
3) China
4) brown
5) purple
6) today
7) tiger
8) teacher
9) Japan
10) T.V.
11) black bear
12) telephone
13) computer
14) Japanese (language)

## 17 Write the meaning of each sentence.

wǒ men bān nán shēng duō    nǚ shēng shǎo
1) 我們班男生多，女生少。

wǒ men xué xiào yīng guó rén duō    zhōng guó rén shǎo
2) 我們學校英國人多，中國人少。

dòng wù yuán li hóu zi duō    xióng māo shǎo
3) 動物園裡猴子多，熊貓少。

mā ma de qún zi duō    kù zi shǎo
4) 媽媽的裙子多，褲子少。

nǎi nai de tóu fa duō    yé ye de tóu fa shǎo
5) 奶奶的頭髮多，爺爺的頭髮少。

## 18 Trace the characters.

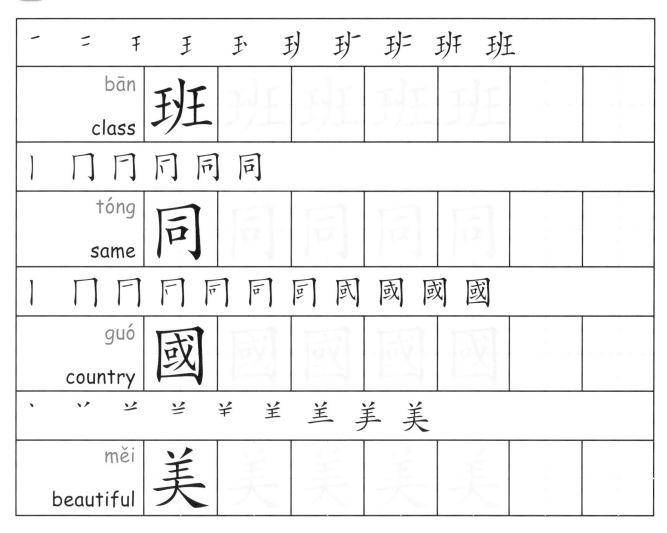

## 19 Answer the following questions.

nǐ jīn nián jǐ suì le
1) 你今年幾歲了？_____

nǐ jīn nián shàng jǐ nián jí
2) 你今年上幾年級？_____

nǐ men hàn yǔ bān yǒu duō shao xué sheng
3) 你們漢語班有多少學生？_____

## 1 Trace the characters.

| 一 二 ヂ 井 | | | | | | |
|---|---|---|---|---|---|---|
| jǐng<br>well 井 | 井 | 井 | 井 | 井 | | |
| 丿 刁 氺 水 | | | | | | |
| shuǐ<br>water 水 | 水 | 水 | 水 | 水 | | |

## 2 Write the numbers.

1) 四

2)

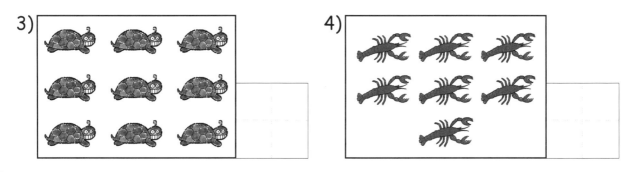

3)

4)

## 3 Look, read and match. Write the letters.

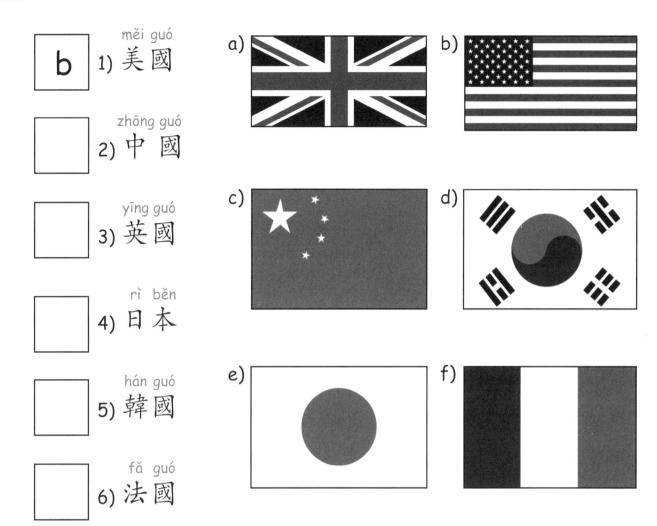

měi guó
b 1) 美國

zhōng guó
2) 中國

yīng guó
3) 英國

rì běn
4) 日本

hán guó
5) 韓國

fǎ guó
6) 法國

a)
b)
c)
d)
e)
f)

## 4 Circle the odd ones.

hán guó    měi guó    fǎ yǔ         ěr duo    zōng sè    huī sè
1) 韓國     美國      法語      2) 耳朵     棕色      灰色

dà xiàng   yá chǐ    yǎn jing      nián jí    shēng rì   xué xiào
3) 大象     牙齒      眼睛      4) 年級     生日      學校

shù xué    kē xué    lǜ sè         xiǎo xué   shàng xué  cháng cháng
5) 數學     科學      綠色      6) 小學     上學      常常

**5** Find Chinese and Korean traditional clothes on the internet. Draw one piece of traditional clothes for these two countries and colour them.

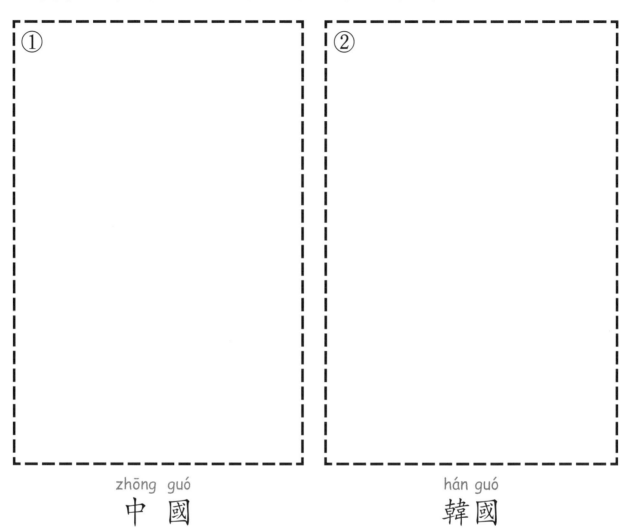

zhōng guó
中 國

hán guó
韓 國

**6** Count the strokes of each character.

1) jīn 金 8

2) shí 石 ____

3) fǎ 法 ____

4) xiǎng 想 ____

5) yán 言 ____

6) shuō 説 ____

## 7 Fill in the proper numbers.

①

tā shǒu li yǒu　　duǒ huā
他手裡有＿＿朵花。

② 

dà yú zuǐ ba li yǒu　　tiáo yú
大魚嘴巴裡有＿＿條魚。

③

dòng wù yuán li yǒu　　tóuxiàng
動物園裡有＿＿頭象。

④ 

shuǐ li yǒu　　tiáo yú
水裡有＿＿條魚。

## 8 Tick the right choices.

| |  |  |  |
|---|---|---|---|
| nǐ huì shuōyīng yǔ ma<br>1) 你會説英語嗎？ | huì<br>會 ✓ | bú huì<br>不會 | xiǎngxué<br>想學 |
| nǐ huì shuō hàn yǔ ma<br>2) 你會説漢語嗎？ | huì<br>會 | bú huì<br>不會 | xiǎngxué<br>想學 |
| nǐ huì shuō fǎ yǔ ma<br>3) 你會説法語嗎？ | huì<br>會 | bú huì<br>不會 | xiǎngxué<br>想學 |

**9** **Connect the words to make 10 sentences.**

1) 爺爺 (yé ye) •

2) 奶奶 (nǎi nai) •

3) 爸爸 (bà ba) •

4) 媽媽 (mā ma) •

5) 哥哥 (gē ge) •

6) 姐姐 (jiě jie) •

7) 弟弟 (dì di) •

8) 妹妹 (mèi mei) •

9) 我 (wǒ) •

10) 漢語老師 (hàn yǔ lǎo shī) •

想 (xiǎng)

a) 學漢語。 (xué hàn yǔ)

b) 去美國。 (qù měi guó)

c) 吃魚。 (chī yú)

d) 去學校。 (qù xué xiào)

e) 去動物園。 (qù dòng wù yuán)

f) 穿裙子。 (chuān qún zi)

g) 喝果汁。 (hē guǒ zhī)

h) 吃快餐。 (chī kuài cān)

i) 上學。 (shàng xué)

j) 來我家。 (lái wǒ jiā)

## 10 Read and match.

nǐ shì nǎ guó rén
1) 你是哪國人？ ————• a) 英國人。 yīng guó rén

nǐ zài nǎr chū shēng
2) 你在哪兒出生？ • • b) 天光路二十號。 tiān guāng lù èr shí hào

nǐ huì shuō shén me yǔ yán
3) 你會說什麼語言？• • c) 中國。 zhōng guó

nǐ jiā zhù zài nǎr
4) 你家住在哪兒？ • • d) 漢語和法語。 hàn yǔ hé fǎ yǔ

nǐ jiā de diàn huà hào mǎ
5) 你家的電話號碼 • • e) 二五六三 èr wǔ liù sān
shì duō shao
是多少？ 七九八〇 qī jiǔ bā líng

## 11 Rearrange the word order to make sentences.

gē ge fǎ yǔ huì shuō měi guó rén shì wǒ
1) 哥哥 法語 會說。 2) 美國人 是 我。

　①　　　③　　　②　　　＿＿＿　＿＿＿　＿＿＿

zhù zài yīng guó jiě jie hán guó xiǎng qù yé ye
3) 住在 英國 姐姐。 4) 韓國 想去 爺爺。

＿＿＿ ＿＿＿ ＿＿＿　＿＿＿ ＿＿＿ ＿＿＿

**69**

## 12 Trace the characters.

| | | | | | | |
|---|---|---|---|---|---|---|
| ノ 入 入 今 今 余 金 金 | | | | | | |

**jīn** surname; gold — 金　金　金　金　金

| | | | | | | |
|---|---|---|---|---|---|---|
| 一 ア ア 石 石 | | | | | | |

**shí** stone — 石　石　石　石　石

| | | | | | | | | | | | | | | | |
|---|---|---|---|---|---|---|---|---|---|---|---|---|---|---|---|
| 一 十 十 古 古 古 直 卓 卓ʼ 卓ʼʼ 草 草 草 草 草 韓 | | | | | | | | | | | | | | |

**hán** Republic of Korea — 韓　韓　韓　韓　韓

| | | | | | | | | | | | | | |
|---|---|---|---|---|---|---|---|---|---|---|---|---|---|
| ノ 入 入 今 今 令 命 命 命 命 會 會 會 會 | | | | | | | | | | | | | |

**huì** can — 會　會　會　會　會

| | | | | | | | | | | | | | |
|---|---|---|---|---|---|---|---|---|---|---|---|---|---|
| ゝ 一 二 三 言 言 言 言 訂 訂 訒 說 說 說 | | | | | | | | | | | | | |

**shuō** speak — 說　說　說　說　說

| | | | | | | | | | | | | | |
|---|---|---|---|---|---|---|---|---|---|---|---|---|---|
| 一 十 才 木 札 机 相 相 相 相 想 想 想 | | | | | | | | | | | | | |

**xiǎng** want; would like — 想　想　想　想　想

丶 丶 氵 氵 汁 汁 泸 法 法

| | fǎ law | 法 | 法 | 法 | 法 | 法 | | |

丶 亠 亠 言 言 言 言

| | yán speech | 言 | 言 | 言 | 言 | 言 | | |

**13** **Fill in the information about yourself. You may write pinyin if you cannot write characters.**

| xìng míng 姓 名 : | shēng rì 生 日 : | yuè 月 | rì 日 |

nián líng 年齡 :　　　suì 歲　　　nián jí 年級 :

diàn huà hào mǎ 電話號碼 :

huì shuō de yǔ yán 會說的語言 :

xǐ huan de dòng wù 喜歡的動物 :

xǐ huan de yán sè 喜歡的顏色 :

dì shí kè
# 第十課

## 1 Trace the radicals.

| | | | | | | | |
|---|---|---|---|---|---|---|---|
| 一 十 才 | | | | | | | |
| hand | 才 | 才 | 才 | 才 | 才 | | |
| ノ 𠂉 𠂉 𠂉 𠂉 𠂉 食 食 | | | | | | | |
| food | 食 | 食 | 食 | 食 | 食 | | |

## 2 Trace the characters.

| | | | | | | | |
|---|---|---|---|---|---|---|---|
| ｜ 冂 冂 月 目 貝 貝 | | | | | | | |
| bèi shell | 貝 | 貝 | 貝 | 貝 | 貝 | | |
| 𠃌 刀 | | | | | | | |
| dāo knife | 刀 | 刀 | 刀 | 刀 | 刀 | | |

**3** **Draw your classroom with desks, chairs and your Chinese teacher standing in front of the class. Colour the picture.**

**4** **Count the strokes of each character.**

1) jiào 教 __11__

2) shì 室 _____

3) cāo 操 _____

4) chǎng 場 _____

5) xiǎng 想 _____

6) táng 堂 _____

7) jīn 金 _____

8) yù 育 _____

9) guǎn 館 _____

## 5 Connect the matching words.

jiào
1) 教 ●————● a) 室 shì

cāo
2) 操 ● ● b) 學 xué

lǐ
3) 禮 ● ● c) 場 chǎng

tóng
4) 同 ● ● d) 級 jí

nián
5) 年 ● ● e) 堂 táng

## 6 Write the characters.

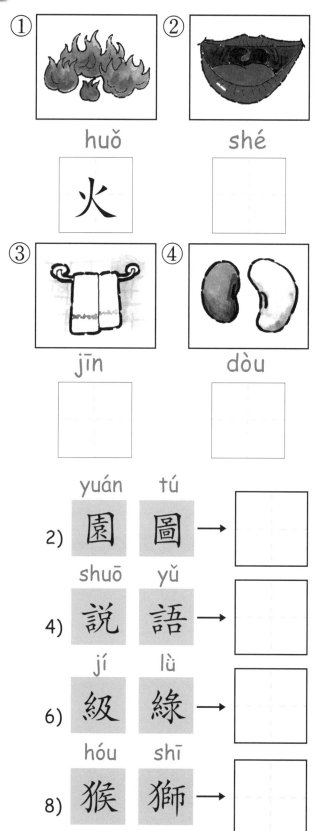

① huǒ — 火

② shé — [ ]

③ jīn — [ ]

④ dòu — [ ]

## 7 Write the radicals.

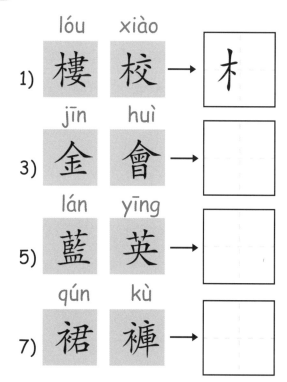

lóu  xiào
1) 樓 校 → 木

jīn  huì
3) 金 會 → [ ]

lán  yīng
5) 藍 英 → [ ]

qún  kù
7) 裙 褲 → [ ]

yuán  tú
2) 園 圖 → [ ]

shuō  yǔ
4) 説 語 → [ ]

jí  lù
6) 級 綠 → [ ]

hóu  shī
8) 猴 獅 → [ ]

**8** **Answer the following questions in picture form.**

1)

nǐ men xué xiào de tú shū guǎn li yǒu shén me
你們學校的圖書館裡有什麼？

2)

nǐ men xué xiào de cāo chǎng shang yǒu shén me
你們學校的操場上有什麼？

## 9 Look, read and match. Write the numbers.

lǐ táng zài èr lóu
1) 禮堂在二樓。

wǒ de jiāo shì zài wǔ lóu
2) 我的教室在五樓。

dì di de jiāo shì zài sì lóu
3) 弟弟的教室在四樓。

tǐ yù guǎn zài yì lóu
4) 體育館在一樓。

tú shū guǎn zài sān lóu
5) 圖書館在三樓。

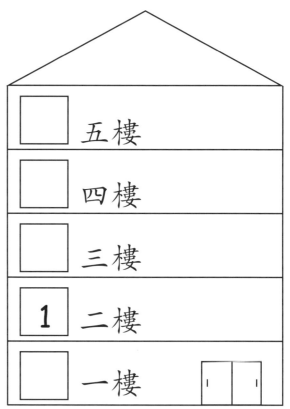

| | 五樓 |
| | 四樓 |
| | 三樓 |
| 1 | 二樓 |
| | 一樓 |

## 10 Write the numbers.

1)
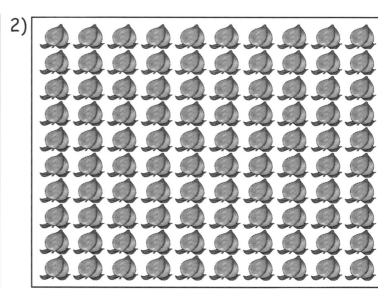

2)

**76**

**11** Circle the phrases which are not related to school.

| xiǎo xué<br>小學 | zōng sè<br>棕色 | cāo chǎng<br>操場 | yīng yǔ<br>英語 | tú shū guǎn<br>圖書館 |
|---|---|---|---|---|
| hàn yǔ<br>漢語 | tóng xué<br>同學 | zhōng xué<br>中學 | lǐ táng<br>禮堂 | dòng wù yuán<br>動物園 |
| xué xiào<br>學校 | diàn huà<br>電話 | dà xué<br>大學 | shū shu<br>叔叔 | tǐ yù guǎn<br>體育館 |

**12** Colour the pictures and write what they are. You may write pinyin if you cannot write characters.

1)
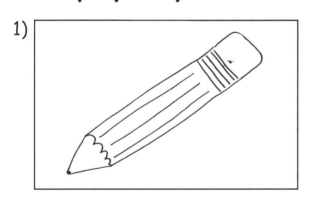

2)
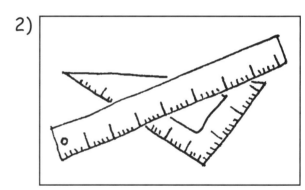

紫色的鉛筆

3)
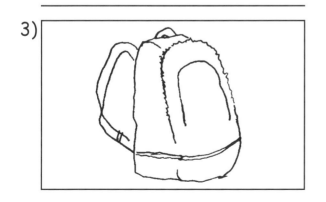

4)
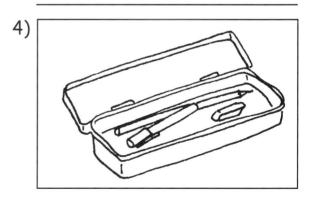

## 13 Circle the wrong characters.

1) 這是我⑬學校。
zhè shì wǒ de xué xiào

2) 我喜歡字漢語。
wǒ xǐ huān xué hàn yǔ

3) 他會誰英語。
tā huì shuō yīng yǔ

4) 弟弟很哥愛。
dì di hěn kě ài

5) 我是少學生。
wǒ shì xiǎo xué shēng

6) 她生王，名叫天一。
tā xìng wáng　míng jiào tiān yī

## 14 Connect the matching words.

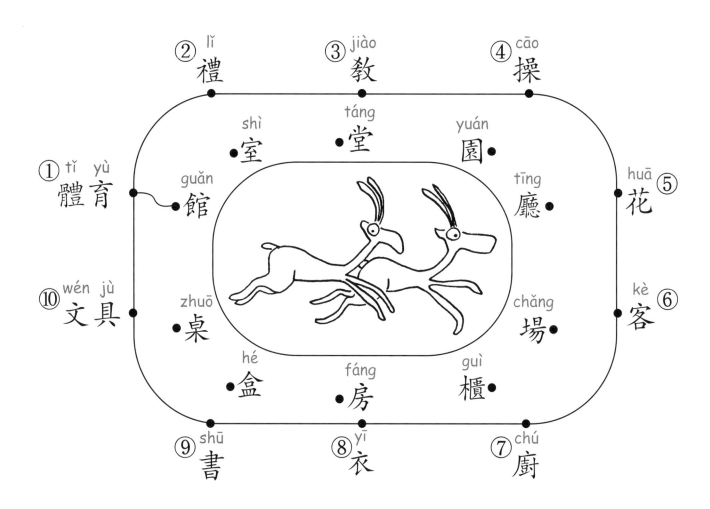

① 體育 tǐ yù
② 禮 lǐ
③ 教 jiào
④ 操 cāo
⑤ 花 huā
⑥ 客 kè
⑦ 廚 chú
⑧ 衣 yī
⑨ 書 shū
⑩ 文具 wén jù

室 shì
堂 táng
園 yuán
廳 tīng
場 chǎng
櫃 guì
房 fáng
盒 hé
桌 zhuō
館 guǎn

**78**

**15** Write one sentence for each picture. You may write pinyin if you cannot write characters.

1)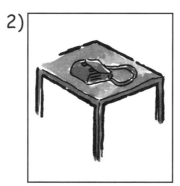

2) 

_____

_____

_____

_____

_____

3)

4)

_____

_____

_____

_____

5)

_____

_____

_____

## 16 Trace the characters.

| ノ | メ | 乂 | 爻 | 爻 | 孝 | 孝 | 挙 | 挙 | 敎 | 教 |
|---|---|---|---|---|---|---|---|---|---|---|

| jiào<br>teach | 教 | 教 | 教 | 教 | 教 | | |
|---|---|---|---|---|---|---|---|

| 一 | 十 | 才 | 木 | 术 | 栌 | 栌 | 栌 | 栌 | 桿 | 桿 | 槽 | 樓 | 樓 | 樓 |
|---|---|---|---|---|---|---|---|---|---|---|---|---|---|---|

| lóu<br>floor | 樓 | 樓 | 樓 | 樓 | 樓 | | |
|---|---|---|---|---|---|---|---|

| 一 | 十 | 扌 | 扌 | 扩 | 护 | 护 | 护 | 护 | 捵 | 捵 | 搵 | 揮 | 操 | 操 |
|---|---|---|---|---|---|---|---|---|---|---|---|---|---|---|

| cāo<br>exercise | 操 | 操 | 操 | 操 | 操 | | |
|---|---|---|---|---|---|---|---|

| 一 | 十 | 土 | 扩 | 圹 | 坍 | 坍 | 坦 | 坮 | 坞 | 場 | 場 | | |
|---|---|---|---|---|---|---|---|---|---|---|---|---|---|

| chǎng<br>open space | 場 | 場 | 場 | 場 | 場 | | |
|---|---|---|---|---|---|---|---|

| ` | フ | ネ | ネ | ネ | 礻 | 礻 | 神 | 袒 | 袒 | 袒 | 禮 | 禮 | 禮 | 禮 | 禮 |
|---|---|---|---|---|---|---|---|---|---|---|---|---|---|---|---|

| lǐ<br>ceremony | 禮 | 禮 | 禮 | 禮 | 禮 | | |
|---|---|---|---|---|---|---|---|

| ` | `` | 丷 | 丷 | 严 | 严 | 岢 | 岢 | 堂 | 堂 | 堂 | | |
|---|---|---|---|---|---|---|---|---|---|---|---|---|

| táng<br>main room<br>of a house | 堂 | 堂 | 堂 | 堂 | 堂 | | |
|---|---|---|---|---|---|---|---|

丨冂冂冋冎咼骨骨骨骨骨骨ˊ骨ˊ體體體體體體體體體體

| tǐ body | 體 | 體 | 體 | 體 | 體 | | |

、亠亠云产育育育

| yù educate; education | 育 | 育 | 育 | 育 | 育 | | |

ノ乊乊尸与今今食食食ˋ食ˋ飠飠節節館館

| guǎn place (indoors) | 館 | 館 | 館 | 館 | 館 | | |

丨冂冂冂冂冂冎冎圅圅圖圖圖圖

| tú picture; drawing | 圖 | 圖 | 圖 | 圖 | 圖 | | |

## 17 Add a radical to complete each character.

| jiào | shì | cāo | yù | guǎn |
|---|---|---|---|---|
| 1) 教 | 2) 至 | 3) 枲 | 4) 云 | 5) 官 |

| lǐ | chǎng | tú | lóu | fǎ |
|---|---|---|---|---|
| 6) 豊 | 7) 昜 | 8) 啚 | 9) 妻 | 10) 去 |

dì shí yī kè

# 第十一課

## 1 Trace the radicals.

| | 丨 刂 | | | | | | |
|---|---|---|---|---|---|---|---|
| knife | 刂 | 刂 | 刂 | 刂 | 刂 | | |
| | 丶 二 亠 六 立 | | | | | | |
| stand | 立 | 立 | 立 | 立 | 立 | | |

## 2 Trace the characters.

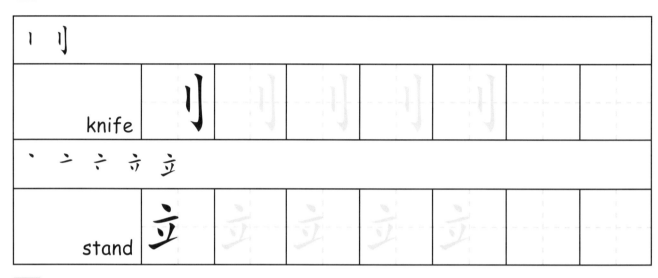

| | 一 丁 工 | | | | | | |
|---|---|---|---|---|---|---|---|
| gōng work | 工 | 工 | 工 | 工 | 工 | | |
| | 一 十 土 | | | | | | |
| tǔ soil | 土 | 土 | 土 | 土 | 土 | | |

## 3 Add or take away one stroke from each character to make a new one.

1)     2)  了    3)  白    4)  人    5) 大

82

## 4 Connect the matching words.

shuō
1) 説

hē
2) 喝

chī
3) 吃

chuān
4) 穿

yǎng
5) 養

xué
6) 學

guǒ zhī
a) 果汁

xiào fú
b) 校服

hàn yǔ
c) 漢語

shù xué
d) 數學

kuài cān
e) 快餐

chǒngwù
f) 寵物

## 5 Write the tone on the pinyin.

1) 請 qǐng

2) 進 jin

3) 讀 du

4) 體 ti

5) 跟 gen

6) 站 zhan

## 6 Write the radicals.

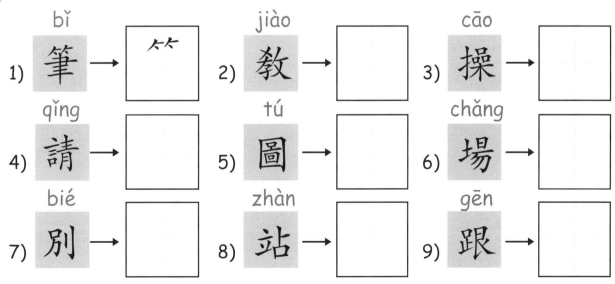

bǐ
1) 筆 → 竹

jiào
2) 教 →

cāo
3) 操 →

qǐng
4) 請 →

tú
5) 圖 →

chǎng
6) 場 →

bié
7) 別 →

zhàn
8) 站 →

gēn
9) 跟 →

# 7 Look, read and match. Write the letters.

nǐ zǎo
1) 你早！  **C**

a) Hello!

nǐ hǎo
2) 你好！

b) I am sorry.

duì bu qǐ
3) 對不起！

c) Good morning!

xiè xie
4) 謝謝！

d) Good-bye!

zài jiàn
5) 再見！

e) Thank you.

84

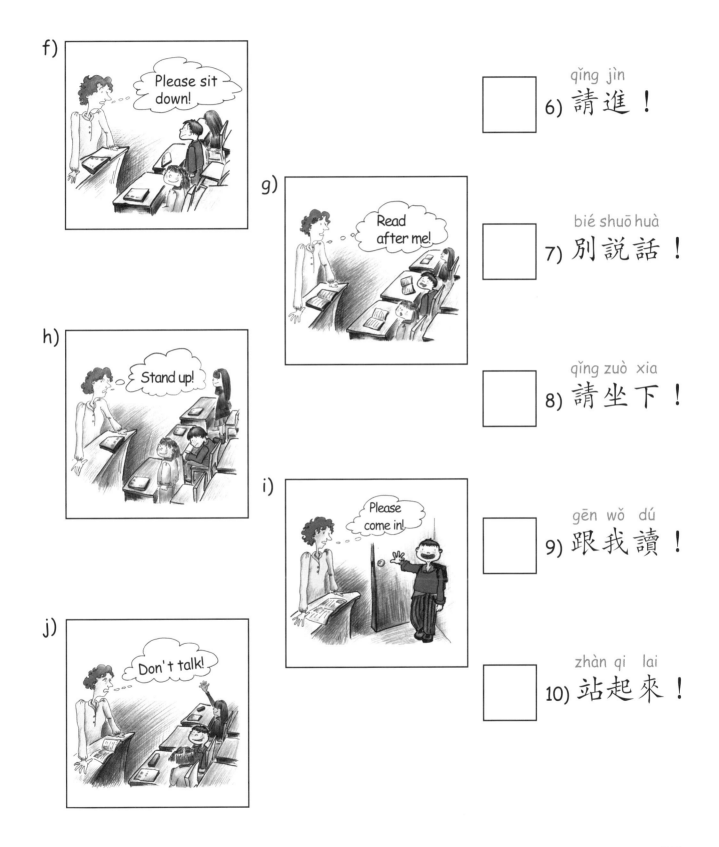

## 8 Count the strokes of each character.

zhàn
1) 站   10

qǐng
2) 請 _____

zuò
3) 坐 _____

shuō
4) 説 _____

gēn
5) 跟 _____

qǐ
6) 起 _____

jìn
7) 進 _____

huà
8) 話 _____

lái
9) 來 _____

## 9 Read the sentences and draw pictures.

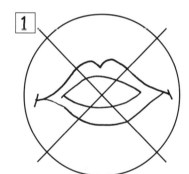

bié shuō huà
別説話！

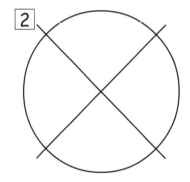

bié jìn lai
別進來！

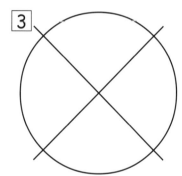

bié chū qu
別出去！

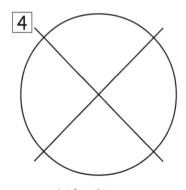

bié chī
別吃！

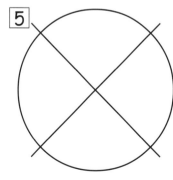

bié hē
別喝！

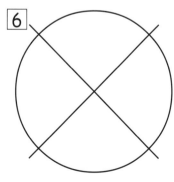

bié zuò xia
別坐下！

## 10 Read and match. Write the letters.

| b | 1) 你們學校有圖書館嗎？ <br> nǐ men xué xiào yǒu tú shū guǎn ma | a) 十個。 <br> shí ge |
| --- | --- | --- |
| | 2) 你班有幾個中國學生？ <br> nǐ bān yǒu jǐ ge zhōng guó xué shēng | b) 有。 <br> yǒu |
| | 3) 你會說什麼語言？ <br> nǐ huì shuō shén me yǔ yán | c) 喜歡。 <br> xǐ huan |
| | 4) 你喜歡學英語嗎？ <br> nǐ xǐ huan xué yīng yǔ ma | d) 英語和法語。 <br> yīng yǔ hé fǎ yǔ |
| | 5) 你想學什麼語言？ <br> nǐ xiǎng xué shén me yǔ yán | e) 我想學日語。 <br> wǒ xiǎng xué rì yǔ |

## 11 Circle the phrases as required.

| zuò 坐 | xià 下 | qǐ 起 | lai 來 | shuō 說 |
| --- | --- | --- | --- | --- |
| jiào 教 | shì 室 | tú 圖 | diàn 電 | huà 話 |
| shī 師 | dú 讀 | shū 書 | lǐ 禮 | táng 堂 |
| tǐ 體 | yù 育 | guǎn 館 | cāo 操 | chǎng 場 |

1) sit down ✓  
2) get up  
3) speak  
4) classroom  
5) library  
6) stadium  
7) playground  
8) school hall  
9) read books  
10) teacher

## 12 Trace the characters.

| | | | | | | | | | | | |
|---|---|---|---|---|---|---|---|---|---|---|---|
| 丶 | 亠 | 二 | 亖 | 言 | 言 | 言 | 言 | 計 | 請 | 請 | 請 請 |

| qǐng<br>please | 請 | 請 | 請 | 請 | 請 | | |
|---|---|---|---|---|---|---|---|

| 丿 | 亻 | 仁 | 仃 | 乍 | 乍 | 住 | 隹 | 谁 | 谁 | 進 |
|---|---|---|---|---|---|---|---|---|---|---|

| jìn<br>go into | 進 | 進 | 進 | 進 | 進 | | |
|---|---|---|---|---|---|---|---|

| 丿 | 人 | 仈 | 从 | 丛 | 坐 | 坐 |
|---|---|---|---|---|---|---|

| zuò<br>sit | 坐 | 坐 | 坐 | 坐 | 坐 | | |
|---|---|---|---|---|---|---|---|

| 丶 | 丶 | 口 | 口 | 尸 | 뭐 | 别 | 别 |
|---|---|---|---|---|---|---|---|

| bié<br>don't | 別 | 別 | 別 | 別 | 別 | | |
|---|---|---|---|---|---|---|---|

| 丶 | 亠 | 亠 | 立 | 立 | 刘 | 扑 | 站 | 站 | 站 |
|---|---|---|---|---|---|---|---|---|---|

| zhàn<br>stand; get up | 站 | 站 | 站 | 站 | 站 | | |
|---|---|---|---|---|---|---|---|

| 丶 | 口 | 口 | 厄 | 무 | 무 | 足 | 足' | 趵 | 趵 | 跟 | 跟 | 跟 |
|---|---|---|---|---|---|---|---|---|---|---|---|---|

| gēn<br>follow | 跟 | 跟 | 跟 | 跟 | 跟 | | |
|---|---|---|---|---|---|---|---|

丶丶亠亍言言言言訂訂訂訪請讀讀讀讀讀

| | dú<br>read out | 讀 | | | | | |
|---|---|---|---|---|---|---|---|

**13** **Write a word for each picture. You may write pinyin if you cannot write characters.**

1)

2)

3)
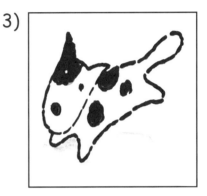

牛奶
_____

_____

_____

4)

5)

6)

_____

_____

_____

## 1 Trace the characters.

| ㇒ ㄇ 口 | | | | | | | |
|---|---|---|---|---|---|---|---|
| kǒu<br>mouth | 口 | 口 | 口 | 口 | 口 | | |
| ㇒ ㄇ 月 日 | | | | | | | |
| rì<br>sun; day | 日 | 日 | 日 | 日 | 日 | | |

## 2 Look, read and match. Write the numbers.

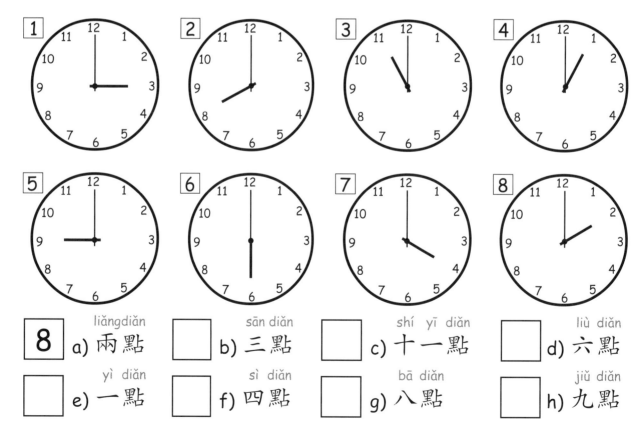

liǎngdiǎn
8 a) 兩點

sān diǎn
☐ b) 三點

shí yī diǎn
☐ c) 十一點

liù diǎn
☐ d) 六點

yì diǎn
☐ e) 一點

sì diǎn
☐ f) 四點

bā diǎn
☐ g) 八點

jiǔ diǎn
☐ h) 九點

## 3 Fill in the missing numbers.

## 4 Look, read and match. Write the numbers.

liǎngdiǎn èr shí fēn
**2** a) 兩點二十分

shí èr diǎn sān kè
☐ b) 十二點三刻

liù diǎn yí kè
☐ c) 六點一刻

sān diǎn líng wǔ fēn
☐ d) 三點零五分

jiǔ diǎn bàn
☐ e) 九點半

shí diǎn yí kè
☐ f) 十點一刻

## 5 Count the strokes of each character.

zài
1) 在 ___6___

fēn
2) 分 _____

kè
3) 刻 _____

bàn
4) 半 _____

xiàn
5) 現 _____

shì
6) 室 _____

**6 Put the short and long hands on the clocks.**

sì diǎn yí kè
四點一刻

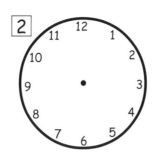

liù diǎn líng wǔ fēn
六點零五分

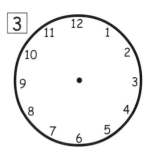

wǔ diǎn bàn
五點半

shí yī diǎn
十一點

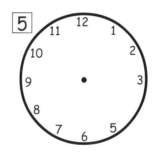

qī diǎn èr shí fēn
七點二十分

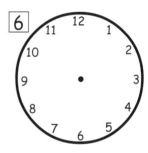

liǎngdiǎn sān kè
兩點三刻

**7 Write the radicals.**

1) rè 熱 hēi 黑 → ⺗

2) kè 刻 bié 別 →

3) xiàn 現 bān 班 →

4) lù 路 gēn 跟 →

5) dú 讀 qǐng 請 →

6) jìn 進 zhè 這 →

**8** **Connect the matching parts to make characters.**

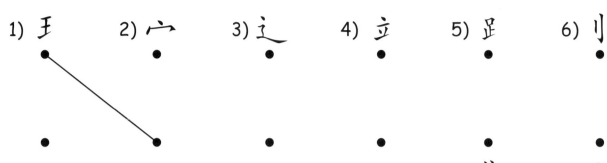

1) 王    2) 宀    3) 辶    4) 立    5) 𧾷    6) 刂

a) 至    b) 見    c) 占    d) 亥    e) 隹    f) 艮

**9** **Draw pictures and colour them.**

1)
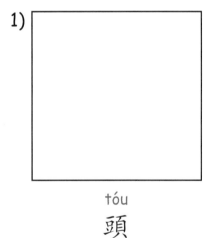
tóu
頭

2)
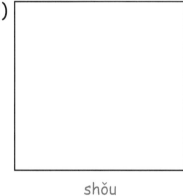
shǒu
手

3)

jiǎo
腳

4)
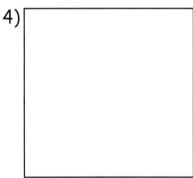
yǎn jing
眼睛

5)

ěr duo
耳朵

6)

zuǐ ba
嘴巴

94

## 10 Answer the following questions.

nǐ de shēng rì shì jǐ yuè jǐ hào
1) 你的生日是幾月幾號？ _____

jīn tiān jǐ yuè jǐ hào
2) 今天幾月幾號？ _____

jīn tiān xīng qī jǐ
3) 今天星期幾？ _____

xiàn zài jǐ diǎn
4) 現在幾點？ _____

## 11 Connect the matching parts to make sentences.

xiǎo míng xiǎng xué
1) 小明想學 •

èr bā sì líng qī jiǔ liù sān
• a) 二八四〇七九六三。

tā jiā zhù zài
2) 他家住在 •

fǎ yǔ
• b) 法語。

tā jiā de diàn huà hào mǎ shì
3) 他家的電話號碼是 •

liǎng ge cāo chǎng
• c) 兩個操場。

tā bān yǒu
4) 他班有 •

huā yuán lù shí bā hào
• d) 花園路十八號。

tā men xué xiào yǒu
5) 他們學校有 •

shí èr ge měi guó rén
• e) 十二個美國人。

**12** Write one sentence for each picture. You may write pinyin if you cannot write characters.

1)

2)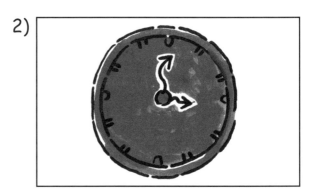

_____

_____

3)

4)

_____

_____

5)

_____

## 13 Trace the characters.

| | | | | | | | | | | | |
|---|---|---|---|---|---|---|---|---|---|---|---|
| 一 | 三 | 干 | 王 | 王 | 珤 | 玑 | 玔 | 珥 | 珥 | 現 | 現 |

| xiàn now | 現 | 現 | 現 | 現 | 現 | | |

| 丶 | 口 | 冖 | 冂 | 四 | 四 | 甲 | 里 | 黒 | 黒 | 黒 | 黒 | 點 | 點 | 點 | 點 | 點 |

| diǎn o'clock | 點 | 點 | 點 | 點 | | |

| 丿 | 八 | 分 | 分 |

| fēn minute | 分 | 分 | 分 | 分 | | |

| 丶 | 二 | 亠 | 亥 | 亥 | 亥 | 刻 | 刻 |

| kè quarter (of an hour) | 刻 | 刻 | 刻 | 刻 | | |

| 丶 | 丷 | 兰 | 半 |

| bàn half | 半 | 半 | 半 | 半 | | |

## 14 Write the Chinese numbers.

1) 12

2) 100

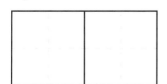

3) 67

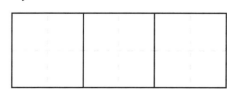

dì shí sān kè
# 第十三課

## 1 Trace the radicals.

| ' | 丿 | 刀 | 舟 | 舟 | 舟 | | |

| boat | 舟 | 舟 | 舟 | 舟 | 舟 | | |

| ` | 亠 | 亍 | 方 |

| square | 方 | 方 | 方 | 方 | 方 | | |

## 2 Trace the characters.

| ' | 冖 | 口 | 中 | 虫 | 虫 | 虫 | 虫 | 蟲 | 蟲 | 蟲 | 蟲 | 蟲 | 蟲 | 蟲 | 蟲 |

| chóng | | | | | | | | | | | | | | | |
| insect | 蟲 | 蟲 | 蟲 | 蟲 | 蟲 | | | | | | | | | | |

| 丿 | 几 | 月 | 月 |

| yuè | | | | | |
| moon | 月 | 月 | 月 | 月 | 月 | | |

## 3 Answer the following questions.

jīn tiān jǐ yuè jǐ hào
1) 今天幾月幾號？

xiàn zài jǐ diǎn
2) 現在幾點？

_____    _____

**98**

## 4 Look, read and match. Write the numbers.

bā diǎn bàn
**3** a) 八點半。

shí yī diǎn sān kè
☐ b) 十一點三刻。

liù diǎn
☐ c) 六點。

yī diǎn yí kè
☐ d) 一點一刻。

sān diǎn líng wǔ fēn
☐ e) 三點零五分。

qī diǎn shí fēn
☐ f) 七點十分。

shí diǎn sān shí wǔ fēn
☐ g) 十點三十五分。

shí yī diǎn
☐ h) 十一點。

## 5 Add or take away one stroke from each character to make a new one.

1) 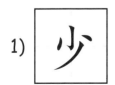  2) 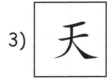  3) 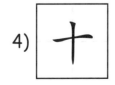  4)   5) 人

## 6 Draw pictures and colour them.

1)

qǐ chuáng
起 床

2)

chī fàn
吃飯

3)
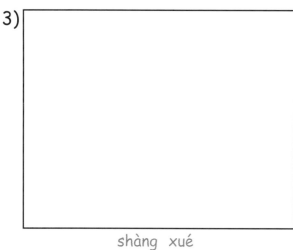

shàng xué
上 學

4)
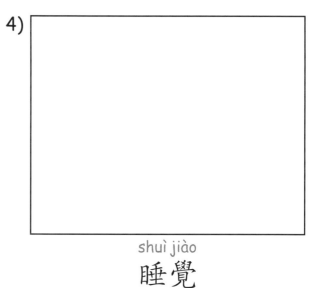

shuì jiào
睡覺

## 7 Count the strokes of each character.

bān
1) 般 __10__

táng
2) 堂 _____

shuì
3) 睡 _____

wǎn
4) 晚 _____

fàng
5) 放 _____

xǐ
6) 洗 _____

## 8 Fill in the time and put short and long hands on the clock.

wǒ                    qǐ chuáng
1) 我＿＿＿6:30＿＿＿起 床。

wǒ          qù shàng xué
2) 我＿＿＿＿＿去上學。

wǒ          fàng xué huí jiā
3) 我＿＿＿＿＿放學回家。

wǒ          shuì jiào
4) 我＿＿＿＿＿睡覺。

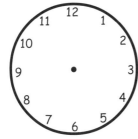

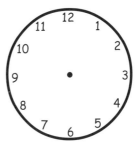

## 9 Answer the following questions.

nǐ jīn nián jǐ suì
1) 你今年幾歲？＿＿＿＿＿＿＿＿＿＿＿

nǐ shàng jǐ nián jí
2) 你上幾年級？＿＿＿＿＿＿＿＿＿＿＿

nǐ zǎo shang yì bān jǐ diǎn qǐchuáng
3) 你早上一般幾點起床？＿＿＿＿＿＿＿＿

**10** **Create clock faces and put short and long hands on them. Colour the clock faces.**

1)

2)

3)

**11** **Answer the following questions in picture form.**

nǐ zǎo fàn yì bān chī shén me
1) 你早飯一般吃什麼？

nǐ wǔ fàn chī shén me
2) 你午飯吃什麼？

nǐ wǎn fàn chī shén me
3) 你晚飯吃什麼？

**12** **Write the names of the objects below. You may write pinyin if you cannot write characters.**

1)

2)

床頭櫃
_____

_____

3)

4)

_____

_____

5)

6)

_____

_____

# 13 Circle the phrases as required.

| zǎo | wǔ | shuì | jiào | huí |
|---|---|---|---|---|
| 早 | 午 | 睡 | 覺 | 回 |
| wǎn | fàn | shū | fáng | jiā |
| 晚 | 飯 | 書 | 房 | 家 |
| shuō | diàn | fǎ | yīng | xiàn |
| 説 | 電 | 法 | 英 | 現 |
| huà | nǎo | yǔ | yán | zài |
| 話 | 腦 | 語 | 言 | 在 |

1) breakfast ✓
2) lunch
3) dinner
4) sleep
5) English
6) study room
7) now
8) speak
9) telephone
10) go home
11) computer
12) French

# 14 Trace the characters.

丿 丿 刀 凢 舟 舟 舟 舟 舡 舩 般

| bān kind; way | 般 | 般 | 般 | 般 | 般 | | |
|---|---|---|---|---|---|---|---|

丿 丿 ㇐ 今 今 今 食 食 飠 飣 飯 飯

| fàn cooked rice | 飯 | 飯 | 飯 | 飯 | 飯 | | |
|---|---|---|---|---|---|---|---|

丿 ㇐ ㇗ 午

| wǔ noon | 午 | 午 | 午 | 午 | 午 | | |
|---|---|---|---|---|---|---|---|

| | 丶 | 一 | 亠 | 方 | 方 | 方 | 放 | 放 |
|---|---|---|---|---|---|---|---|---|
| fàng<br>let go | 放 | | | | | | | |

| | 丨 | 冂 | 冂 | 冋 | 回 | 回 | | |
|---|---|---|---|---|---|---|---|---|
| huí<br>go or come<br>back | 回 | | | | | | | |

| | 丨 | 冂 | 月 | 日 | 日' | 日⌐ | 日⌐ | 昀 | 昈 | 晚 | 晚 |
|---|---|---|---|---|---|---|---|---|---|---|---|
| wǎn<br>evening; late | 晚 | | | | | | | | | | |

| | 丶 | 丶 | 氵 | 氵 | 沪 | 汁 | 洪 | 洗 | 洗 |
|---|---|---|---|---|---|---|---|---|---|
| xǐ<br>wash | 洗 | | | | | | | | |

| | 丶 | 丶 | 氵 | 沪 | 沪 | 沪 | 沪 | 沪 | 沪 | 温 | 温 | 温 | 澡 | 澡 | 澡 |
|---|---|---|---|---|---|---|---|---|---|---|---|---|---|---|---|
| zǎo<br>bath | 澡 | | | | | | | | | | | | | | |

| | 丨 | 冂 | 月 | 月 | 目 | 盯 | 盰 | 盰 | 肝 | 睜 | 睡 | 睡 | 睡 |
|---|---|---|---|---|---|---|---|---|---|---|---|---|---|
| shuì<br>sleep | 睡 | | | | | | | | | | | | |

| | 丶 | ⺊ | ⺊ | ⺊ | ⺊ | ⺊ | 段 | 段 | 段 | 段 | 段 | 闸 | 舆 | 學 | 常 | 臂 | 臂 | 臂 | 覺 |
|---|---|---|---|---|---|---|---|---|---|---|---|---|---|---|---|---|---|---|---|
| jiào<br>sleep | 覺 | | | | | | | | | | | | | | | | | | |

dì shí sì kè
第十四課

## 1 Trace the radicals.

| ′ ⺅ ⺆ ⺆ ⺂ ⺂ 鳥 鳥 鳥 鳥 鳥 | | | | | | |
|---|---|---|---|---|---|---|
| bird 鳥 | 鳥 | 鳥 | 鳥 | 鳥 | | |

| 丶 丷 少 火 | | | | | | |
|---|---|---|---|---|---|---|
| fire 火 | 火 | 火 | 火 | 火 | | |

## 2 Trace the characters.

| 一 十 才 木 | | | | | | |
|---|---|---|---|---|---|---|
| mù tree; wood 木 | 木 | 木 | 木 | 木 | | |

| 丨 冂 冃 田 田 | | | | | | |
|---|---|---|---|---|---|---|
| tián field 田 | 田 | 田 | 田 | 田 | | |

## 3 Circle the nature words.

| huǒ | duō | shuǐ | tǔ | rì | shǎo | yuè | mù | tián |
|---|---|---|---|---|---|---|---|---|
| 火 | 多 | 水 | 土 | 日 | 少 | 月 | 木 | 田 |

**4** **Look, read and match. Write the numbers.**

1)

2)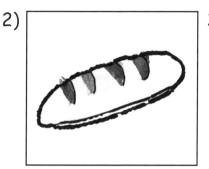

3)

4)

5)

6)

miàn bāo
| 2 | a) 麵包

jī dàn
| | b) 鷄蛋

mǐ fàn
| | c) 米飯

tāng
| | d) 湯

niú nǎi
| | e) 牛奶

sān míng zhì
| | f) 三明治

**5** **Count the strokes of each character.**

nǎi
1) 奶 5

wǔ
2) 午 _____

dàn
3) 蛋 _____

zhì
4) 治 _____

míng
5) 明 _____

chǎo
6) 炒 _____

huò
7) 或 _____

mǐ
8) 米 _____

tāng
9) 湯 _____

**6** **Fill in the correct characters.**

| gōng | tián | shǎo |
|------|------|------|
| 工 | 田 | 少 |
| **rì** | **shàng** | **mù** |
| 日 | 上 | 目 |
| **sì** | **yuè** | **tǔ** |
| 四 | 月 | 土 |
| **chū** | **kǒu** | **xiōng** |
| 出 | 口 | 兄 |

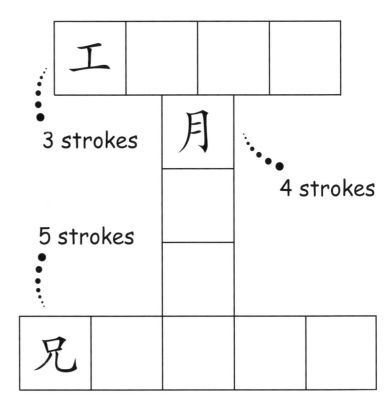

工

3 strokes

月

4 strokes

5 strokes

兄

**7** **Draw pictures and colour them.**

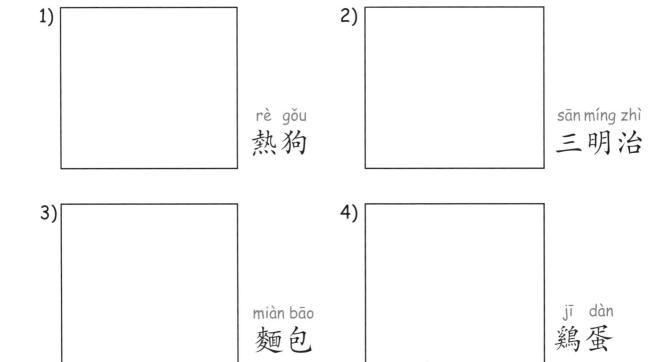

1)

rè gǒu
熱狗

2)

sān míng zhì
三明治

3)

miàn bāo
麵包

4)

jī dàn
鷄蛋

## 8 Choose food for your three meals. Write the letters.

miàn bāo
a) 麵包

niú nǎi
g) 牛奶

jī dàn
b) 鷄蛋

kě lè
h) 可樂

sān míng zhì
c) 三明治

guǒ zhī
i) 果汁

chǎo cài
d) 炒菜

píng guǒ zhī
j) 蘋果汁

tāng
e) 湯

xiāng jiāo
k) 香蕉

mǐ fàn
f) 米飯

píng guǒ
l) 蘋果

zǎo fàn
1) 早飯：＿＿＿＿＿＿

＿＿＿＿＿＿

wǔ fàn
2) 午飯：＿＿＿＿＿＿

＿＿＿＿＿＿

wǎn fàn
3) 晚飯：＿＿＿＿＿＿

＿＿＿＿＿＿

## 9 Write a character for each radical.

zhì
1) 氵 治

chǎo
2) 火

cài
3) 艹

wǎn
4) 日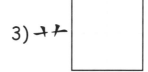

jiā
5) 宀

kè
6) 刂

xiàn
7) 王

fàn
8) 食

chuáng
9) 广

shuì
10) 目

fàng
11) 方

gēn
12) 足

## 10 Write the characters.

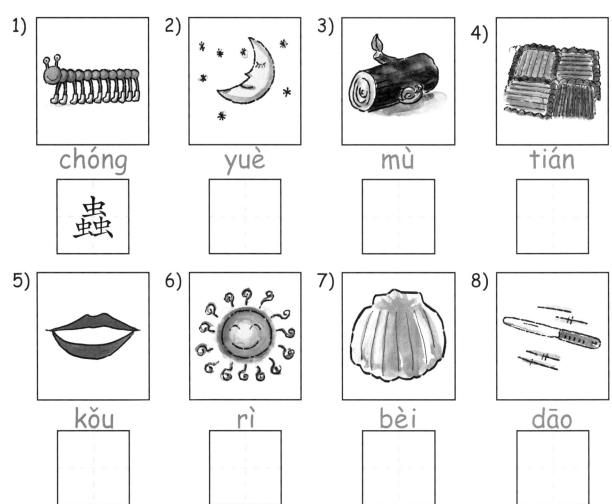

1) chóng 蟲

2) yuè

3) mù

4) tián

5) kǒu

6) rì

7) bèi

8) dāo

## 11 Connect the matching words.

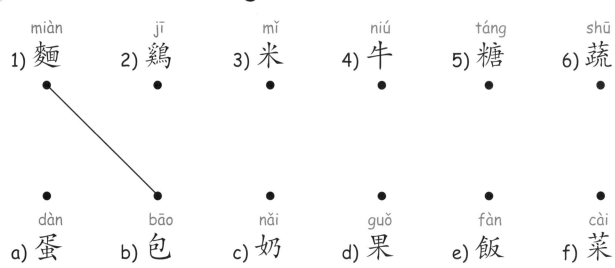

1) miàn 麵   2) jī 鷄   3) mǐ 米   4) niú 牛   5) táng 糖   6) shū 蔬

a) dàn 蛋   b) bāo 包   c) nǎi 奶   d) guǒ 果   e) fàn 飯   f) cài 菜

## 12 Answer the following questions in picture form.

nǐ xǐ huan chī shén me shuǐ guǒ
1) 你喜歡吃什麼水果？

nǐ xǐ huan chī shén me shū cài
2) 你喜歡吃什麼蔬菜？

nǐ xǐ huan hē shén me
3) 你喜歡喝什麼？

## 13 Make up phrases.

①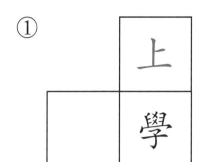

②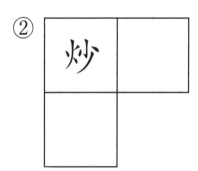

③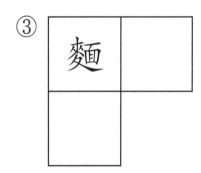

④

## 14 Trace the characters.

一十十广市市束束束麥麥 変 麥 変 麵 麵 麵 麵 麵 麵

| miàn<br>wheat flour | 麵 | 麵 | 麵 | 麵 | 麵 | | |

´ ´ ´ ´ ⼎ ⼎ ⼎ 至 奚 奚 奚 奚 鶏 鶏 鶏 鶏 鶏 鶏 鶏 鶏 鶏

| jī<br>chicken | 鷄 | 鷄 | 鷄 | 鷄 | 鷄 | | |

一 一 丁 口 严 严 足 足 昏 昏 蛋 蛋 蛋

| dàn<br>egg | 蛋 | 蛋 | 蛋 | 蛋 | 蛋 | | |

丿 丿 ⼇ 仁 牛

| niú<br>ox; cattle | 牛 | 牛 | 牛 | 牛 | 牛 | | |

丶 丶 丶 氵 氵 氵 汕 治 治

| zhì<br>rule; govern | 治 | 治 | 治 | 治 | 治 | | |

一 一 丆 冂 口 豆 或 或 或

| huò<br>or | 或 | 或 | 或 | 或 | 或 | | |

112

| | 、 ´ ´ 火 火 灯 灯 炒 炒 | | | | | | |
|---|---|---|---|---|---|---|---|
| chǎo<br>stir-fry | 炒 | 炒 | 炒 | 炒 | 炒 | | |

| | 、 ´ ´ ´ 兰 半 米 米 | | | | | | |
|---|---|---|---|---|---|---|---|
| mǐ<br>rice | 米 | 米 | 米 | 米 | 米 | | |

| | 、 ` ` 氵 汩 汩 汩 汩 汩 渇 湯 湯 | | | | | | |
|---|---|---|---|---|---|---|---|
| tāng<br>soup | 湯 | 湯 | 湯 | 湯 | 湯 | | |

**15** **Write the animal names. You may write pinyin if you cannot write characters.**

1)
2)
3)

猴子
_____

_____

_____

4)
5)
6)

_____

_____

_____

## 第十五課

**1** Trace the radical .

| ˊ ㄏ ㄒ ㄧ ㄹ 馬 馬 馬 馬 馬 | | | | | | |
|---|---|---|---|---|---|---|
| horse 馬 | 馬 | 馬 | 馬 | 馬 | | |

**2** Trace the characters.

| 丨 冂 冂 月 目 | | | | | | |
|---|---|---|---|---|---|---|
| mù<br>eye 目 | 目 | 目 | 目 | 目 | | |
| フ 力 | | | | | | |
| lì<br>strength 力 | 力 | 力 | 力 | 力 | | |

**3** Write the meaning of each phrase.

mù chuáng
1) 木床 ___wooden bed___

tiě chuán
2) 鐵船 _____

qí mǎ
3) 騎馬 _____

miàn fěn
4) 麵粉 _____

jiào shī
5) 教師 _____

jǐng shuǐ
6) 井水 _____

**114**

**4** Look, read and match. Write the letters.

1)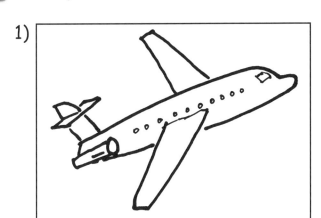

2)

3)

4)

5)

6)

dù chuán
2 a) 渡船

dì tiě
b) 地鐵

mù chuán
c) 木船

xiào chē
d) 校車

fēi jī
e) 飛機

zì xíng chē
f) 自行車

## 5 Put short and long hands on the clocks.

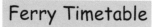
Ferry Timetable

1)

liù diǎn wǔ shí wǔ fēn
六點五十五分

2)
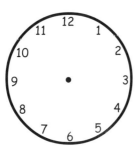

qī diǎn yí kè
七點一刻

3)
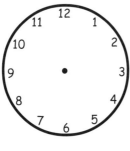

qī diǎn bàn
七點半

## 6 Write the radicals.

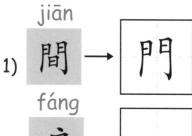
jiān
1) 間 → 門

fáng
2) 房 →

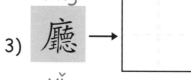
tīng
3) 廳 →

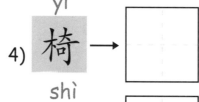
yǐ
4) 椅 →

shì
5) 視 →

chuán
6) 船 →

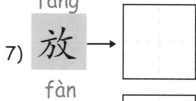
fàng
7) 放 →

fàn
8) 飯 →

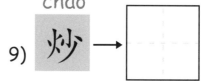
chǎo
9) 炒 →

**7** **Design new models of the following vehicles and colour them.**

1)

zì xíng chē
自行車

2)

xiào chē
校車

3)

dù chuán
渡船

4)

diàn chē
電車

5)

dì tiě
地鐵

## 8 Answer the following questions in picture form.

nǐ yì bān jǐ diǎn shàng xué
1) 你一般幾點上學？

nǐ zěn me shàng xué
2) 你怎麼上學？

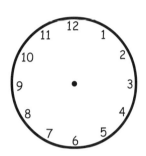

nǐ bà ba jǐ diǎn shàng bān
3) 你爸爸幾點上班？

nǐ bà ba zěn me shàng bān
4) 你爸爸怎麼上班？

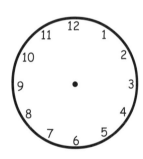

## 9 Make up phrases. You may write pinyin.

mù
1) 木 __床__

xiào
2) 校 _____

mǐ
3) 米 _____

shàng
4) 上 _____

zěn
5) 怎 _____

dì
6) 地 _____

## 10 Connect the matching words.

chuān
1) 穿

xiào chē
a) 校車

zuò
2) 坐

chèn shān
b) 襯衫

qí
3) 騎

kě lè
c) 可樂

chī
4) 吃

zì xíng chē
d) 自行車

hē
5) 喝

kuài cān
e) 快餐

## 11 Colour the 4-stroke words red.

| rì<br>日 | yuè<br>月 | mù<br>木 | dà<br>大 |
|---|---|---|---|
| kǒu<br>口 | chǐ<br>尺 | tián<br>田 | mù<br>目 |
| jǐng<br>井 | huǒ<br>火 | shén<br>什 | zhōng<br>中 |
| rén<br>人 | shuǐ<br>水 | lì<br>力 | fēn<br>分 |
| shǎo<br>少 | yá<br>牙 | jīn<br>今 | bā<br>巴 |

## 12 Colour the phrases as required.

| dì tiě<br>地鐵 | hàn yǔ<br>漢語 | miàn bāo<br>麵包 | chǎo cài<br>炒菜 |
|---|---|---|---|
| yīng yǔ<br>英語 | diàn chē<br>電車 | jī dàn<br>鷄蛋 | huǒ chē<br>火車 |
| chǎo fàn<br>炒飯 | fǎ yǔ<br>法語 | dù chuán<br>渡船 | mǐ fàn<br>米飯 |
| rè gǒu<br>熱狗 | niú nǎi<br>牛奶 | rì yǔ<br>日語 | xiào chē<br>校車 |

1) Means of transport: 綠色

2) Food: 粉紅色

3) Language: 紫色

## 13 Trace the characters.

| ` | ` | ⺀ | 氵 | 汁 | 沪 | 汇 | 沪 | 沪 | 浐 | 沪 | 渡 | 渡 |

| dù<br>go across | 渡 | 渡 | 渡 | 渡 | 渡 | | |

| ' | 丆 | 𠂆 | 𠂆 | 舟 | 舟 | 舟 | 船 | 船 | 船 | 船 |

| chuán<br>boat | 船 | 船 | 船 | 船 | 船 | | |

| 一 | 十 | 土 | 圹 | 地 | 地 |

| dì<br>ground | 地 | 地 | 地 | 地 | 地 | | |

| 丿 | 𠂆 | 𠂉 | 乍 | 乍 | 余 | 釒 | 金 | 釒 | 鉮 | 鋅 | 鋅 | 鉄 | 鉄 | 鉄 | 鐵 | 鐵 | 鐵 |

| tiě<br>iron | 鐵 | 鐵 | 鐵 | 鐵 | 鐵 | | |

| 一 | 厂 | 厂 | 戶 | 戶 | 馬 | 馬 | 馬 | 馬 | 馬 | 馬 | 馬 | 馬 | 騎 | 騎 | 騎 | 騎 | 騎 |

| qí<br>ride | 騎 | 騎 | 騎 | 騎 | 騎 | | |

| ' | 丿 | 𠂉 | 白 | 自 | 自 |

| zì<br>oneself | 自 | 自 | 自 | 自 | 自 | | |

120

| 丶 | 彳 | 彳 | 彳 | 行 | 行 | | | | |

| xíng go; walk; travel | 行 | | | | | | | | |

| 一 | 厂 | 冂 | 百 | 百 | 亘 | 車 | | | |

| chē vehicle | 車 | | | | | | | | |

| 丶 | 口 | 口 | 口 | 口 | 吖 | 听 | 呢 | | |

| ne particle | 呢 | | | | | | | | |

| 丿 | 丿 | 乍 | 乍 | 乍 | 作 | 怎 | 怎 | 怎 | |

| zěn how | 怎 | | | | | | | | |

## 14 Write the meaning of each sentence.

wǒ yì bān bù chī zǎo fàn
1) 我一般不吃早飯。

nǎi nai bú huì yòng diàn nǎo
2) 奶奶不會用電腦。

wǒ dì di hái méi yǒu shàng xué
3) 我弟弟還沒有上學。

qǐng jìn lai zuò zuo
4) 請進來坐坐。

bà ba měi tiān zuò huǒ chē shàng bān
5) 爸爸每天坐火車上班。

tā shì wǒ de tóng bān tóng xué
6) 他是我的同班同學。

**1** **Trace the radicals.**

| ` 冫 | | | | | | |
|------|------|------|------|------|------|------|
| ice | 冫 | 冫 | 冫 | 冫 | 冫 | |

| ノ 彡 彡 | | | | | | |
|----------|------|------|------|------|------|------|
| ornament | 彡 | 彡 | 彡 | 彡 | 彡 | |

| ヿ ⼸ 弓 | | | | | | |
|----------|------|------|------|------|------|------|
| bow | 弓 | 弓 | 弓 | 弓 | 弓 | |

**2** **Trace the characters.**

| ノ 人 | | | | | | |
|-------|------|------|------|------|------|------|
| rén person | 人 | 人 | 人 | 人 | 人 | |

| 一 二 丢 天 | | | | | | |
|------------|------|------|------|------|------|------|
| tiān the sky; day | 天 | 天 | 天 | 天 | 天 | |

122

## 3 Tick what is correct and cross what is incorrect.

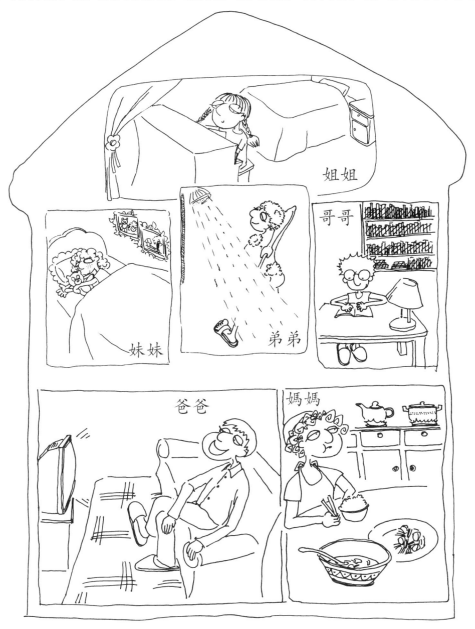

jiě jie zài tán gāng qín
☑ 1) 姐姐在彈鋼琴。

dì di zài xǐ zǎo
☐ 2) 弟弟在洗澡。

mèi mei zài shuì jiào
☐ 3) 妹妹在睡覺。

mā ma zài shū fáng li
☐ 4) 媽媽在書房裡。

gē ge zài kàn diàn yǐng
☐ 5) 哥哥在看電影。

bà ba zài kè tīng li
☐ 6) 爸爸在客廳裡。

## 4 Connect the matching words.

kàn
1) 看 ●———● a) 電影 diànyǐng

tī
2) 踢 ● ● b) 鋼琴 gāng qín

tán
3) 彈 ● ● c) 馬 mǎ

qí
4) 騎 ● ● d) 足球 zú qiú

zuò
5) 坐 ● ● e) 地鐵 dì tiě

chī
6) 吃 ● ● f) 晚飯 wǎn fàn

## 5 Write the meaning of each phrase.

1) {
diàn shì
電視 _____ T.V. _____
diàn chē
電車 _____
}

2) {
shuì yī
睡衣 _____
shuì jiào
睡覺 _____
}

3) {
qí mǎ
騎馬 _____
qí chē
騎車 _____
}

## 6 Colour the picture and write the colour words. You may write pinyin if you cannot write characters.

_____

_____

_____

# 7 Look, read and match. Write the letters.

**a** 1) chéng zhī 橙汁

2) xióng máo 熊貓

3) diàn chē 電車

4) shuǐ 水

5) xiǎo mù fáng 小木房

6) guǒ zhī 果汁

7) xīng qī rì 星期日

8) hóu zi 猴子

9) rì chū 日出

10) dòng wù yuán 動物園

# 8 Tick the correct boxes.

wǒ jiā rén de ài hào

我家人的愛好

| | yé ye 爺爺 | nǎi nai 奶奶 | bà ba 爸爸 | mā ma 媽媽 | wǒ 我 |
|---|---|---|---|---|---|
| kàn shū 1) 看書 | | | | | |
| kàn diàn shì 2) 看電視 | | | | | |
| kàn diàn yǐng 3) 看電影 | | | | | |
| huá bīng 4) 滑冰 | | | | | |
| tán gāng qín 5) 彈鋼琴 | | | | | |

# 9 Add a radical to complete each character.

| tī | qiú | huá | bīng | yǐng |
|---|---|---|---|---|
| 1) 踢 | 2) 求 | 3) 骨 | 4) 水 | 5) 景 |

| tán | gāng | zěn | qí | xíng |
|---|---|---|---|---|
| 6) 單 | 7) 岡 | 8) 乍 | 9) 奇 | 10) 丁 |

**10 Answer the following questions in picture form.**

nǐ yǒu shén me ài hào
1) 你有什麼愛好？

nǐ de shū bāo li yǒu shén me
2) 你的書包裡有什麼？

nǐ de fáng jiān li yǒu shén me
3) 你的房間裡有什麼？

## 11 Write the characters.

1) lì 力

2) mù

3) tián

4) chóng

5) yuè

6) mù

## 12 Write the meaning of each sentence.

dì di bú huì tán gāng qín
1) 弟弟不會彈鋼琴。

gē ge zài cāo chǎng shang tī qiú
2) 哥哥在操場上踢球。

mèi mei hěn xǐ huan qí mǎ
3) 妹妹很喜歡騎馬。

mā ma zài cān tīng chī fàn
4) 媽媽在餐廳吃飯。

jiě jie xǐ huan chī tāng miàn
5) 姐姐喜歡吃湯麵。

bà ba jīn tiān hěn wǎn huí jiā
6) 爸爸今天很晚回家。

**13** Write one sentence for each picture. You may write pinyin if you cannot write characters.

1)

_____

_____

2)

_____

_____

3)

_____

_____

4)

_____

_____

## 14 Trace the characters.

| ` | ⼝ | ⼝ | ⼝ | ⼝ | 𧾷 | 𧾷 | 足 | 趵 | 趵 | 趵 | 趵 | 趵 | 踢 | 踢 | 踢 |
|---|---|---|---|---|---|---|---|---|---|---|---|---|---|---|---|

| tī<br>kick; play<br>(football) | 踢 | 踢 | 踢 | 踢 | 踢 | | |

| ` | ⼝ | ⼝ | ⼝ | ⼝ | 𧾷 | 足 | | | | |
|---|---|---|---|---|---|---|---|---|---|---|

| zú<br>foot | 足 | 足 | 足 | 足 | 足 | | |

| ⼀ | ⼆ | 三 | 王 | 王 | 玒 | 玒 | 玗 | 球 | 球 | 球 |
|---|---|---|---|---|---|---|---|---|---|---|

| qiú<br>ball (used in<br>games) | 球 | 球 | 球 | 球 | 球 | | |

| ` | ⼓ | ⼚ | ⼚ | 氵 | 氵 | 汩 | 泹 | 滑 | 滑 | 滑 |
|---|---|---|---|---|---|---|---|---|---|---|

| huá<br>slip; slide | 滑 | 滑 | 滑 | 滑 | 滑 | | |

| ` | ⼎ | 冫 | 氵 | 冰 | 冰 | | | | | |
|---|---|---|---|---|---|---|---|---|---|---|

| bīng<br>ice | 冰 | 冰 | 冰 | 冰 | 冰 | | |

| ⼀ | ⼆ | 三 | 丰 | 看 | 看 | 看 | 看 | 看 | | |
|---|---|---|---|---|---|---|---|---|---|---|

| kàn<br>see; watch | 看 | 看 | 看 | 看 | 看 | | |

## 16

丶 冂 冃 日 旦 旦 早 晷 昌 景 景 景 景 影 影

| yǐng<br>film; movie | 影 | 影 | 影 | 影 | 影 | | |

乛 弓 弓 弓 弓 弓 弓 弖 弾 弾 弾 彈 彈 彈 彈

| tán<br>play | 彈 | 彈 | 彈 | 彈 | 彈 | | |

丿 𠂉 𠂉 𠂉 牟 牟 金 金 釦 釦 釦 鋼 鋼 鋼 鋼

| gāng<br>steel | 鋼 | 鋼 | 鋼 | 鋼 | 鋼 | | |

一 二 干 王 王 玕 玨 玕 玨 珡 琹 琴 琴

| qín<br>certain musical<br>instruments | 琴 | 琴 | 琴 | 琴 | 琴 | | |

## 15 Write a sentence for each picture.

1)

2)

_____ _____

# 詞 彙 表

## A

| ài | 愛 | love; like |
| àihào | 愛好 | hobby |

## B

| bǎi | 百 | hundred |
| bān | 班 | class |
| bān | 般 | kind; way |
| bàn | 半 | half |
| bèi | 貝 | shell |
| * běn | 本 | root |
| bié | 別 | don't |
| bīng | 冰 | ice |

## C

| cāo | 操 | exercise |
| cāochǎng | 操場 | sports ground; playground |
| cháng | 常 | often |
| chángcháng | 常常 | quite often |
| chǎng | 場 | open space |
| chǎo | 炒 | stir-fry |
| chǎocài | 炒菜 | stir-fried dishes |
| chǎofàn | 炒飯 | fried rice |
| chē | 車 | vehicle |
| chéng | 橙 | orange |

| chéngsè | 橙色 | orange colour |
| chǐ | 齒 | tooth |
| chóng | 蟲 | insect |
| chū | 出 | go or come out |
| chūshēng | 出生 | be born |
| chuán | 船 | boat |

## D

| * dà | 大 | big |
| dàxiàng | 大象 | elephant |
| dài | 帶 | take; bring |
| dàn | 蛋 | egg |
| dāo | 刀 | knife |
| děng | 等 | etc. |
| děngděng | 等等 | etc. |
| dì | 地 | ground |
| dìtiě | 地鐵 | subway |
| diǎn | 點 | o'clock |
| diànhuà | 電話 | telephone |
| diànhuà hàomǎ | 電話號碼 | telephone number |
| diànyǐng | 電影 | film; movie |
| dòngwùyuán | 動物園 | zoo |
| dòu | 豆 | bean |
| dú | 讀 | read out |
| dù | 渡 | go across |
| dùchuán | 渡船 | ferryboat |

**132**

| | | | | | | |
|---|---|---|---|---|---|---|
| duō | 多 many; much | | | guāngmíng | 光明 bright | |
| duōshao | 多少 how many; how much | | | guó | 國 country | |

**E**

| | |
|---|---|
| ér | 兒 suffix |
| ěr | 耳 ear |
| ěrduo | 耳朵 ear |
| èrlóu | 二樓 second floor |

**H**

| | |
|---|---|
| hánguó | 韓國 Republic of Korea |
| hánguórén | 韓國人 Korean (people) |
| hánguóyǔ | 韓國語 Korean (language) |
| hànyǔ | 漢語 Chinese (language) |
| hào | 號 number |
| hàomǎ | 號碼 number |
| hěnduō | 很多 many |
| hóu | 猴 monkey |
| hóuzi | 猴子 monkey |
| hǔ | 虎 tiger |
| huā | 花 flower |
| huāyuán | 花園 garden |
| huá | 滑 slip; slide |
| huábīng | 滑冰 ice-skating |
| huà | 話 talk |
| huī | 灰 grey |
| huīsè | 灰色 grey |
| huí | 回 go or come back |
| huíjiā | 回家 go or come home |
| huì | 會 can |
| huǒ | 火 fire |
| huò | 或 or |

**F**

| | |
|---|---|
| fǎ | 法 law |
| fǎyǔ | 法語 French (language) |
| fàn | 飯 cooked rice |
| fàng | 放 let go |
| fàngxué | 放學 classes are over |
| fēn | 分 minute |
| fěn | 粉 powder |
| fěnhóngsè | 粉紅色 pink |

**G**

| | |
|---|---|
| gāng | 鋼 steel |
| gāngqín | 鋼琴 piano |
| gēn | 跟 follow |
| gōng | 工 work |
| gū | 姑 aunt |
| gūgu | 姑姑 (paternal) aunt |
| guǎn | 館 place (indoors) |
| guāng | 光 light |

**J**

| | |
|---|---|
| jī | 鷄 chicken |
| jīdàn | 鷄蛋 egg |

**133**

| jí | 級 grade | liǎn | 臉 face |
|---|---|---|---|
| jiārén | 家人 family member | lóu | 樓 floor |
| jiǎo | 腳 foot | lù | 路 road |
| jiào | 教 teach | lǜ | 綠 green |
| jiàoshì | 教室 classroom | lǜsè | 綠色 green |
| jiào | 覺 sleep | | |
| jīn | 今 now; today | | |

M

| | | | |
|---|---|---|---|
| jīnnián | 今年 this year | mǎ | 碼 number |
| jīntiān | 今天 today | měi | 美 beautiful |
| jīn | 金 surname; gold | měiguó | 美國 America |
| jīn | 巾 napkin | měiguórén | 美國人 American |
| jìn | 進 go into | | (people) |
| jǐng | 井 well | mǐ | 米 rice |

K

| | | | |
|---|---|---|---|
| | | mǐfàn | 米飯 cooked rice |
| kàn | 看 see; watch | miàn | 麵 wheat flour |
| kē | 顆 mesure word | miànbāo | 麵包 bread |
| kē | 科 subject of study | míng | 明 bright |
| kēxué | 科學 science | mù | 木 tree; wood |
| kě'ài | 可愛 lovely | mù | 目 eye |
| kè | 刻 quarter (of an hour) | | |

N

| | | | |
|---|---|---|---|
| * kǒu | 口 mouth | nǎ | 哪 which; what |
| | | nǎr | 哪兒 where |

L

| | | | |
|---|---|---|---|
| | | nǎguórén | 哪國人 what nationality |
| lái | 來 come | nǎi | 奶 milk |
| lǎohǔ | 老虎 tiger | nǎinai | 奶奶 (paternal) grand- |
| lǐ | 禮 ceremony | | mother |
| lǐtáng | 禮堂 assembly hall | ne | 呢 particle |
| lì | 力 strength | nián | 年 year |

**134**

| | | |
|---|---|---|
| niánjí | 年級 | grade |
| niú | 牛 | ox; cattle |
| niúnǎi | 牛奶 | milk |

### P

| | | |
|---|---|---|
| pí | 皮 | skin; fur |

### Q

| | | |
|---|---|---|
| qī | 期 | a period of time |
| qí | 騎 | ride |
| qímǎ | 騎馬 | ride a horse |
| qǐlai | 起來 | used after a verb to indicate an upward movement |
| qǐchuáng | 起床 | get up |
| qín | 琴 | a general name for certain musical instruments |
| qǐng | 請 | please |
| qiú | 球 | ball |
| qù | 去 | go |

### R

| | | |
|---|---|---|
| * rén | 人 | person |
| rì | 日 | sun; day |
| rìběn | 日本 | Japan |
| rìběnrén | 日本人 | Japanese (people) |

### S

| | | |
|---|---|---|
| sānmíngzhì | 三明治 | sandwich |
| shàng | 上 | up; go to; get on |
| shàngbān | 上班 | go to work |
| shàngxué | 上學 | go to school |
| shǎo | 少 | few; little |
| shé | 舌 | tongue |
| shé | 蛇 | snake |
| shēngrì | 生日 | birthday |
| shī | 獅 | lion |
| shīzi | 獅子 | lion |
| shí | 石 | stone |
| shí'èryuè | 十二月 | December |
| shǒu | 手 | hand |
| shū | 叔 | uncle |
| shūshu | 叔叔 | (paternal) uncle |
| shǔ | 屬 | be born in the year of (one of the 12 zodiac animals) |
| shù | 數 | number |
| shùxué | 數學 | maths |
| * shuǐ | 水 | water |
| shuì | 睡 | sleep |
| shuìjiào | 睡覺 | sleep |
| shuō | 說 | speak |
| shuōhuà | 說話 | speak; talk |

## T

| | | |
|---|---|---|
| tā | 他們 | they |
| tán | 彈 | play (a stringed musical instrument) |
| tāng | 湯 | soup |
| táng | 堂 | main room of a house |
| tī | 踢 | kick; play (football) |
| tǐ | 體 | body |
| tǐyù | 體育 | physical education |
| tǐyùguǎn | 體育館 | gymnasium |
| tiān | 天 | the sky; day |
| tián | 田 | field |
| tiě | 鐵 | iron |
| tóng | 同 | same |
| tóngxué | 同學 | schoolmate |
| * tóu | 頭 | head |
| tú | 圖 | picture; drawing |
| túshū | 圖書 | books |
| túshūguǎn | 圖書館 | library |
| tǔ | 土 | soil |
| tù | 兔 | rabbit |

## W

| | | |
|---|---|---|
| wǎn | 晚 | evening; late |
| wǎnfàn | 晚飯 | dinner; supper |
| wǔ | 午 | noon |
| wǔfàn | 午飯 | lunch |

## X

| | | |
|---|---|---|
| xǐ | 洗 | wash |
| xǐzǎo | 洗澡 | have a bath |
| xià | 下 | down; get off |
| xiàn | 現 | now |
| xiànzài | 現在 | now |
| xiǎng | 想 | want; would like |
| xiàng | 象 | elephant |
| * xiǎo | 小 | small |
| xiǎoxué | 小學 | primary school |
| xiǎoxuéshēng | 小學生 | primary school student |
| xiàochē | 校車 | school bus |
| xīng | 星 | star |
| xīngqī | 星期 | week |
| xīngqītiān | 星期天 | Sunday |
| xíng | 行 | go; walk; travel |
| xiōng | 兄 | elder brother |
| xiōngdì jiěmèi | 兄弟姐妹 | brothers and sisters |
| xióng | 熊 | bear |
| xióngmāo | 熊貓 | panda |
| xuésheng | 學生 | student |

## Y

| | | |
|---|---|---|
| yá | 牙 | tooth |
| yáchǐ | 牙齒 | tooth |
| yán | 言 | language |

| | | |
|---|---|---|
| yé | 爺 grandfather | |
| yéye | 爺爺 (paternal) grandfather | |
| yě | 也 also | |
| yī | 衣 clothes | |
| yìbān | 一般 usually | |
| yīng | 英 English | |
| yīngguó | 英國 Britain | |
| yīngguórén | 英國人 Briton | |
| yīngyǔ | 英語 English (language) | |
| yǐng | 影 film; movie | |
| yǒude | 有的 some | |
| yǔ | 語 language | |
| yǔyán | 語言 language | |
| yù | 育 educate; education | |
| yuán | 園 garden | |
| yuán | 圓 round | |
| yuè | 月 moon | |

## Z

| | | |
|---|---|---|
| zài | 在 in; on |
| zǎofàn | 早飯 breakfast |
| zǎo | 澡 bath |
| zěn | 怎 how |
| zěnme | 怎麼 how |
| zhàn | 站 stand; get up |
| zhì | 治 rule; govern |
| zhōng | 中 middle |
| zhōngguó | 中國 China |

| | | |
|---|---|---|
| zhōngguórén | 中國人 Chinese (people) |
| zhù | 住 live |
| zǐ | 紫 purple |
| zǐsè | 紫色 purple |
| zì | 自 oneself |
| zìxíngchē | 自行車 bicycle |
| zōng | 棕 palm |
| zōngsè | 棕色 brown |
| zú | 足 foot |
| zúqiú | 足球 soccer; football |
| zuò | 坐 sit; travel by (bus, train, plane, etc.) |